SUM

I – CELTAS, KELTOI E GÁLATAS

De onde vieram os celtas?	13
Os celtas não eram um povo	14
O que os primeiros escritores cristãos disseram sobre os celtas	16
Os celtas eram um povo	18
Os celtas mais fortes eram os belgas ou os gauleses?	19
Os belgas e os bretões de Júlio César	20
Os celtas: questões e considerações	22
Certezas e incertezas acerca dos celtas	24
Celtas e gálatas	26
Línguas e pronúncias	27
Pictos e caledônios	30
Pictos e romanos	31

II – HERÓIS E HEROÍNAS, LENDAS E MITOS

Budica, a rainha guerreira	37
As invasões mitológicas de Erin	40
A invasão dos milésios e o poema de Amergin	42
O destino dos Tuatha Dé Dannan	45
O lamento de Deirdre	47
Vida, feitos e morte de Cuchulain, o herói do Ulster	51
1 - O cortejar de Emer (Tochmarc Emer)	51
2 - O sonho de Cuchulain e o ciúme de Emer	54
3 - O roubo das vacas de Cooley (Táin Bó Cuailnge)	55
4 - Morte de Cuchulain	58

III – A RELIGIÃO: OS DEUSES

O testemunho de César sobre a religião dos gauleses	63
Deuses gauleses, deuses romanos	64
Arte sacra celta: as representações dos deuses	65
As deusas tríplices	68
As deusas da guerra	69
Os deuses do Sol e do céu	71
Deuses das águas, deuses das curas	72
Brígida: deusa e santa	73
A religião dos pictos e caledonianos	75
Os deuses dos galegos	76
Os helvécios	78
Deuses gaélicos e bretões	79
Por Tutatis!	81
Lugh, o deus sol, ou o guerreiro dos braços compridos	83
Os deuses mortais	84
Deusas, guerreiras, rainhas, santas, e outras	86
A Deusa Mãe	87
Atégina, a deusa lusitana da vegetação	89
Artios, a deusa-ursa dos helvécios	90
Deuses celtas em forma de animais	91
O "caso" de Cernuno	94
Duendes, fadas e gnomos	96

IV – RITUAIS E SANTUÁRIOS

Os druidas	101
Os druidas gauleses	104
Doutrina dos druidas acerca da alma	105
O mundo além do terrestre	106
Cultos, festivais e rituais cósmicos	107
Havránok: o santuário celta da Eslováquia	109
O Javali de Endovélico e a Porca de Murça	111

V – O CRISTIANISMO CELTA

São Patrício	117
Os gálatas cristãos eram celtas?	120
Os monges irlandeses	124
O monge e o monstro do Lago Ness	128

VI – OS CELTAS HOJE: REVIVAL, LITERATURA E RECONSTRUÇÃO

O revival celta e outros renascimentos culturais contemporâneos	135
As éguas sagradas dos lusitanos	137
O Mastro da Primavera, um culto celta no Brasil	139
Santuários e crenças dos lusitanos: o deus Endovélico	145
A literatura contemporânea	147
William Butler Yeats: literatura celta e política nacionalista	148
Astérix e Companhia	151
Harry Potter	152

VII – NEOPAGANISMO

Neopaganismo: significado e validade	157
Paganismo e neopaganismo: algumas distinções	159
Wicca, a bruxaria celta revisitada	161
Anextlomarâ, a deusa obscura dos helvécios	165
A Grande Mãe	167
Povos celtas citados	172
Sobre o organizador	174
Bibliografia	178

1 CELTAS, KELTOI E GÁLATAS

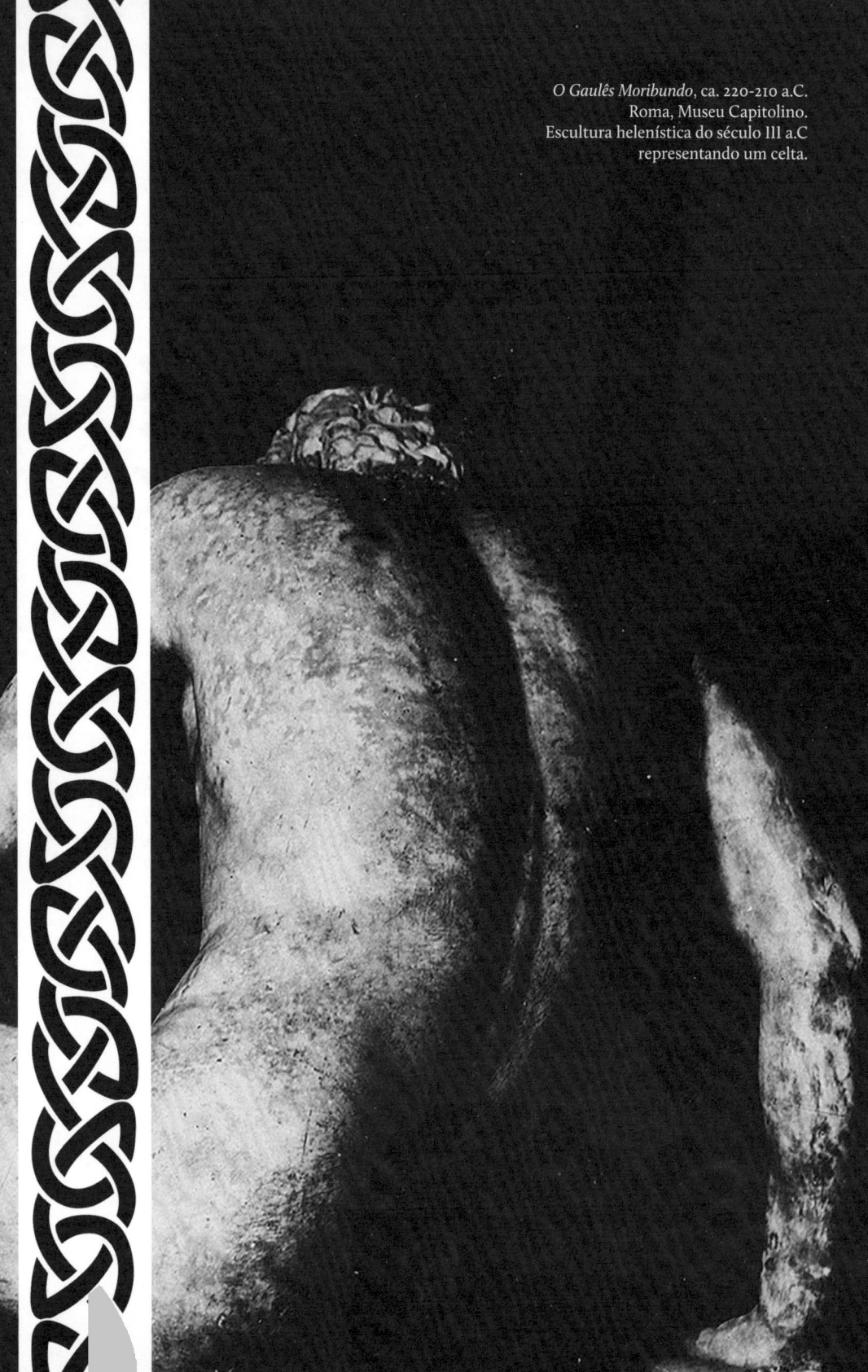

O Gaulês Moribundo, ca. 220-210 a.C. Roma, Museu Capitolino. Escultura helenística do século III a.C representando um celta.

DE ONDE VIERAM OS CELTAS?

Esta pergunta sempre permeou o pensamento de vários interessados e curiosos, fascinando tanto leigos quanto especialistas, mas sua resposta não é tão simples assim. Miranda Green, professora e arqueóloga, escreve em seu livro:

> Os celtas não apareceram de repente num lugar determinado, como resultado de algum evento, mas foram povos que, a partir do Neolítico da Europa Central, se foram tornando celtas pouco a pouco, ao longo do tempo. Não existiu uma cultura que tivesse sido a fonte imediata dos celtas. A celtização das diversas "tribos", com seus próprios costumes e tradições, que foram chamadas celtas, foi um fenômeno gradual que se processou desde o século VII a.C. Eles se espalharam desde os extremos ocidentais da Europa até a Ásia Menor, e compartilhavam entre si uma grande quantidade de traços culturais, desde a economia e os idiomas, até aos deuses que cultuavam.[1]

Durante muitas décadas os arqueólogos e historiadores defendiam sem hesitar, e com muitas provas, que os celtas tiveram origem na Europa Central (cultura de Hallstadt, Áustria) se expandiram para Oeste (cultura de La Tène, Suíça), e daí, por uma série de invasões e migrações, se espalharam por toda a Europa Ocidental, e mais tarde para os Balcãs e Ásia. Não há dúvida de que houve migrações e invasões: Júlio César nos fala de centenas de milhares de helvécios que queriam migrar para a Gália, e que ele parou no caminho. Também é certo que os celtas atacaram Roma, e a Grécia, e que migraram para a Ásia. Tudo isso está comprovado. Mas os estudos arqueológicos

---

[1]   GREEN, M. *The Gods of the Celts*. Godalming: Bramley Books, 1986. p. 1-2.

começaram a pôr em dúvida que toda a expansão celta — nomeadamente a da Irlanda — tivesse sido o resultado de migrações e invasões. O arqueólogo irlandês Barry Rafftery, na sua conferência de abertura do Simpósio Internacional de Estudos Celtas e Germânicos em Florianópolis, em 2006, afirmou textualmente:

Minha mãe era arqueóloga, meu pai era arqueólogo, eu sou arqueólogo, e tudo o que encontramos na Irlanda foi uma espada e duas bainhas; não é com isso que se faz uma invasão.

Pouco a pouco, com muitos estudos, inclusive de DNA, novas hipóteses foram se impondo: primeiro, que **os celtas se difundiram pela Europa não só como grupos humanos migrantes, mas sobretudo como cultura, que se difundia por contato e convivência.** Segundo, mesmo sem descartar a importância das origens de Hallstadt e La Tène, no caso da Irlanda outra hipótese é mais evidente: a de uma frente atlântica de comunicações e comércio, que ia desde o Neolítico, do Tejo até às Órcades, no Norte da Escócia, passando pela Irlanda. Um estudo de DNA,[2] certamente ainda sujeito a reparos e avaliações, afirma que aproximadamente mais de 70% das populações das ilhas britânicas são descendentes de povos da Península Ibérica, nomeadamente da Galiza. Há muito a discutir nesta hipótese, mas é uma ideia aceitável, considerando um relacionamento marítimo a longo prazo (cerca de seis mil anos).[3]

OS CELTAS NÃO ERAM UM POVO

No final do século XIX, o cirurgião francês Paul Broca (1824-1880) fez uma série de estudos e medições do corpo humano que acentuavam o corpo físico como o fundamento da personalidade humana. Pouco depois, o italiano Cesare Lombroso, também médico, (1836-1906) defendeu a teoria de que

---

[2] OPPENHEIMER, S. *The Origins of the British*. Londres: Robinson Publishing, 2006.
[3] CUNLIFFE, Barry. *A Race Apart. Insularity and Connectivity*. Proceeedings of the Prehistoric Society, 75, 2009, 55-64.

a criminalidade do indivíduo tem causas biológicas. Até hoje sempre se pensa no criminoso ou na pessoa má como feio, de aspecto desagradável (assim as bruxas são vistas). Estas ideias constituíram parte importante de uma escola de antropologia chamada antropologia física, que acentuava as características biológicas como constitutivas da personalidade coletiva de um povo. Como, além disso, muitos povos tendem a considerar-se como descendentes de um mesmo antepassado comum, generalizou-se a ideia, mais vulgar do que científica, de que um povo é um conjunto de pessoas unidas por características biológicas semelhantes e herdadas geneticamente.

O nazismo deu "um tiro no pé" dessas ideias ao generalizar a ideia de raça pura, e da raça pura ariana, que conduziu ao desastre de purificação da raça, o que foi uma desumanidade cruel. Diante dessa politização de uma ideia de antropologia física, muitos antropólogos alemães fugiram para os Estados Unidos e Inglaterra, e outros países, onde desenvolveram, por reação, a teoria oposta: um povo se une e mantém pela cultura. Foi o caso de Franz Boas (1859-1942) que criou a escola culturalista nos EUA e insistia com seus alunos para que encontrassem os fundamentos culturais das características sociais; assim ele fez com a antropóloga Margaret Mead (1901-1978), sua orientanda de doutorado, que nas ilhas do Pacífico provou que os fenômenos da adolescência (complexos de Édipo etc.) não têm origem biológica, mas cultural. Tanto forçou que mais tarde foi desmentida por antropólogos australianos, mas a inversão de perspectiva estava lançada e consolidada: é a cultura que faz um povo, sobretudo a língua, e não a biologia.

Os celtas eram *de início* considerados um povo unido por uma origem biológica comum: tanto gregos como romanos se referiam sempre a eles como um povo, tanto que de leste a oeste da Europa e de norte a sul eram designados sempre pelo mesmo nome, variando a pronúncia da base KLT (kelta, celta, galta, gálata). Mesmo um geógrafo de respeito como Estrabão considerava os celtas um povo com as mesmas instituições, e, portanto, origem comum. Por isso dizemos "de início": tanto na Antiguidade quanto no século XIX, quando se começou a estudar os celtas de forma metódica.

O QUE OS PRIMEIROS ESCRITORES CRISTÃOS DISSERAM SOBRE OS CELTAS

A ideia tradicional que chegou aos estudiosos medievais e modernos baseava-se em parte nos escritos dos Santos Padres, os primeiros teólogos cristãos, e para eles não havia dúvida de que os celtas eram um povo. Vejamos alguns testemunhos.

Salaminius Hermios Sozemeno (324-425) escreveu a *História Eclesiástica*, onde fala sobre a expansão do Cristianismo, que para o autor abrange todos os povos bárbaros, inclusive os celtas, que vivem nas mais distantes orlas do oceano (II 6 NPNF2, 262 b). João Crisóstomo, o Boca de Ouro (350-407), Patriarca de Constantinopla, escreveu a respeito dos gálatas na 4ª homilia aos Filipenses; recordando a vida do Apóstolo Paulo, e tudo o que ele sofreu nas suas viagens e missões, e os resultados e alegrias, exclama: "Quem não exultaria com o retorno de todo o povo dos gálatas à observância da lei? Não gritaste e não exclamaste, como diz Paulo (Gál. 5, 4) procurastes a justificação pela Lei e por isso vos separastes de Cristo, caístes fora da graça". João Crisóstomo e Paulo referem-se ao fato de que os gálatas, já batizados, retornaram às práticas judaicas, renunciando à justificação por intermédio de Jesus Cristo. João Crisóstomo fala dos gálatas como sendo um povo cristão com muitas comunidades (igrejas). E escrevia assim, a todas as igrejas gálatas, porque todas estavam infectadas pelo mesmo desvio doutrinal: aderiram a práticas judaizantes. (Homilia I sobre Coríntios, item 2, NPNF12, 272 b). João Crisóstomo no Comentário à Epístola aos Gálatas (NPNF 13, 2 e 6) volta ao mesmo: *todo o povo dos gálatas* caiu na falsidade da pregação dos que os persuadiram a voltar às práticas judaicas. E no capítulo 3 insiste e reforça que Paulo chama os cristãos gálatas de tolos e se dirige *a todo o povo*, como se o povo gálata no seu conjunto pudesse ser considerado cristão.

Eusébio de Cesareia (265-339) na *História da Igreja* (III, 1) menciona as regiões onde os Apóstolos pregaram o Evangelho e diz que Pedro pregou na

Galácia (NPNF 2ª série, I, 132; repete em III, 4. Mais adiante (V, 16) Eusébio cita uma obra anônima onde se diz o seguinte: "Tendo estado recentemente em Ancira da Galácia (atual Ancara) encontrei lá a Igreja muito agitada por esta novidade, que não é profecia, como dizem, mas falsa profecia, como se mostrará". O autor continua explicando como ele e o presbítero Zótico convenceram os cristãos de que estavam errados, fazendo-os abandonar aquela doutrina desviada. Passa depois a comentar a tal doutrina, que conhecemos como montanismo. (NPNF 2ª I, 230 b). Eusébio nota a presença de um bispo da Galácia no Concílio de Niceia (Constantino, III, 7, NPNF 521).

Arnóbio, bispo gaulês (255-330), escrevendo uma obra em defesa dos cristãos (apologia) contra os pagãos, exalta tudo o que já tinha sido realizado pelos cristãos, quantos povos tinham sido convertidos à fé de Cristo, e isso nas mais remotas ilhas e regiões, e enumera: Etiópia[4] e Média, Pérsia, e entre os frígios e gálatas. Colocando os gálatas ao lado dos frígios estava certamente se referindo àqueles que São Paulo converteu, e que talvez tenham sido os primeiros cristãos celtas. (Arnobius, ANF v. 6, 439).

Sobre os gauleses relata Eusébio o martírio dos cristãos de Lion (ou Lião, 177), e transcreve a longa carta que a comunidade dessa cidade enviou a toda a cristandade, narrando as tribulações por que passaram (Eusébio, História, v.1, NPNF 211-217).

Irineu (120-202) era sírio, natural provavelmente de Esmirna, e foi discípulo de Policarpo; na sua obra *Ad Haereses* (Sobre os hereges) diz (I Prefácio 3): "Como sabeis vivo no meio de bárbaros, os celtas (Keltae), que falam outra língua, que é a que usualmente falo, e, por isso, não tenho prática de retórica (..)" Isso quer dizer que Irineu, bispo de Lião, capital da região celta da Gália, conversava e pregava em língua gaulesa, pelo que se pode inferir que, no final do século II havia em Lião uma grande comunidade gaulesa, que não falava o latim dos dominadores romanos.

Diz Jerônimo (NPN 6, 497): "Quando eu era jovem e estava na Gália ouvi falar de uma tribo dos bretões, os Asticotti (Scoti, irlandeses) que comem carne humana, e que, apesar de terem manadas de porcos, e manadas de gado miúdo e graúdo nas florestas, têm o costume de cortar certas partes das nádegas dos pastores, e dos peitos das mulheres, que consideram como as melhores iguarias. Os escotos não têm esposas próprias, mas ganham (indulge) sua luxúria com todas as mulheres à vontade." (Jerônimo, Contra

---

[4]   Etiópia por vezes era confundida com uma região da Ásia. Arnobius. *The Seven Books Against the Heathen*. ANF v. 6, 403, 572. Trad. Hamilton Bayce & Hugh Campbell.

Joviniano II, 7 NPNF 2ª série, v. 6. 394 a). É sabido que Jerônimo, o grande intelectual a quem devemos a tradução da Bíblia para o latim (Vulgata) dizia por vezes algumas coisas disparatadas — com o devido respeito — e não foi só sobre os celtas. Mas o certo aqui é que *para ele os celtas eram um povo*.

Sobre os druidas há muitos testemunhos. Hipólito viveu em Roma (160-235) mas não se sabe de onde era natural. Em sua obra *Refutação de Todas as Heresias* escreveu a respeito dos druidas. Segundo ele os druidas dos celtas investigaram em alto nível a filosofia dos pitagóricos, conforme o trácio Zamolxis (Zalmoxis?). Este era um servidor de Pitágoras, mas tornou-se o criador da disciplina. Depois da morte de Pitágoras, e olhando à distância, parece ter sido Zamolxis o criador desta filosofia. Os celtas consideram os druidas como profetas e adivinhos, porque eles conseguem prever alguns acontecimentos por meio do cálculo com números da arte pitagórica. Não devemos passar de lado a questão desta arte (técnica), porque foi através dela que alguns se atreveram a introduzir heresias, e, além disso, os druidas também praticavam ritos mágicos.

OS CELTAS ERAM UM POVO

Vimos as razões pelas quais os celtas têm sido vistos como um povo, mas já adiantamos algumas dúvidas, e outras perspectivas. As línguas celtas têm certa unidade, embora divididas em dois grandes grupos e, só por isso, já podemos dizer: *os celtas não só existem, mas são um povo*. Não têm unidade biológica? Os testes de sangue e de DNA publicados por Jean Manco em *Blood of the Celts* demonstraram que há entre os celtas mais afinidades biológicas do que se imaginava,[5] depois que houve a reação contra a Antropologia Física.

Mas há mais: o que é um povo? Os historiadores e antropólogos têm, nas últimas décadas, chegado a um acordo: não há povo puro, constituído por linhagens de famílias unas e originárias todas da mesma família original. Todos os povos cujas formações históricas são conhecidas assimilaram e

---

[5] MANCO, J. *Blood of the Celts*: The New Ancestral Story. Londres: Thames & Hudson, 2015.

incorporaram "aderentes" vindos de outros povos, por vezes bem diferentes. Como disse Zidane ao político que lamentou que houvesse tantos estrangeiros na equipe de futebol da França: "o senhor não sabe o que está dizendo, pois pela constituição francesa, é francês quem decide e quer ser francês e é aceito pela comunidade e autoridade como francês". O mesmo disse um guia em Atenas: "grego é quem aceita a cultura grega e quer viver segundo ela". Há povos, como os celtas, unos em si mesmos e distintos dos outros, e todos têm nome, mas não há povos puros nem teoria pura sobre os povos.

OS CELTAS MAIS FORTES ERAM OS BELGAS OU OS GAULESES?

Caio Júlio César (100 a 44 a.C.), general e político romano, nos deixou um dos mais importantes documentos antigos sobre os celtas. Ele foi questor, pontífice máximo, propretor, cônsul, membro do primeiro triunvirato que governou Roma (60 a 56 a.C.). Em 58 partiu com suas legiões para a Gália Transalpina (Além dos Alpes), dominou os gauleses e os bretões da ilha (atual Grã-Bretanha), impôs-se aos germanos além do Reno, e em 52 derrotou Vercingetorix, o maior líder gaulês. Durante as suas campanhas militares na Gália informou-se sobre os povos dominados, e com as anotações obtidas escreveu um dos mais importantes relatos sobre os celtas, que começa assim:

> *Toda a Gália está dividida em três partes, das quais uma inclui os belgas, a outra os aquitanos, e a terceira, que na nossa língua chamamos de gauleses, na própria língua deles se chamam de celtas. Cada uma tem seu idioma, costumes e leis diferentes, e estão separados uns dos outros pelos rios. De todos eles os mais fortes (brabos) são os Belgas, porque estão mais longe da civilização e da cultura das nossas províncias, e são menos visitados pelos comerciantes (A Guerra da Gália, I, 1,).*

Certamente os outros Celtas não gostaram do elogio aos belgas, mas esse comentário deixamos para depois, por conta de Astérix e Companhia.

Vercingetorix se rende a César, Alphonse de Neuville, séc. XIX.

OS BELGAS E OS BRETÕES DE JÚLIO CÉSAR

No decorrer dos comentários/narrativas que César fez às suas campanhas militares, o general romano voltou outras vezes a falar dos belgas. Por exemplo ao descrever a ilha que hoje denominamos Grã-Bretanha, disse:

 *O interior da Bretanha é habitado por povos cujas tradições afirmam serem nativos da própria ilha. O litoral marítimo é ocupado pelos belgas, que por ali passaram para fazer guerra e pilhar, e logo se fixaram para cultivar a terra.* (César V, 2)

E continua descrevendo as semelhanças entre os bretões da ilha e os gauleses do continente. Também falou da Irlanda, a que chamou Hibernia (invernal) e, voltando aos bretões, afirmou que os mais civilizados entre eles eram os de Cantium (hoje Kent), cuja capital era Durovernum (Cantuária). Até aqui o que ele disse estava correto, mas, como todos os conquistadores, para confirmar a sua superioridade — e a inferioridade dos dominados — minimizou ou descreveu os Celtas como bárbaros; por exemplo: aos olhos dos romanos os costumes sexuais dos bretões eram depravados. Mais certo foi dizer (V, 14) que os bretões se pintavam de azul quando iam para a batalha — costume que geralmente só é atribuído aos pictos da Escócia — mas até lá César não chegou.

A primeira invasão de César na Grã-Bretanha, Edward Armitage, 1843.

OS CELTAS: QUESTÕES E CONSIDERAÇÕES

Ao abordar as recentes reconstituições das culturas celtas (druidismo, wicca e outras) que projetam o que poderia ser hoje a religião dos celtas, devemos proceder com cuidado. São realizados casamentos celtas no Brasil, mas não temos relatos seguros de como seriam na Antiguidade; contudo, podemos perguntar: quem prepara um casamento celta em Curitiba em 2024 está preocupado com a veracidade histórica da reconstituição? Porém os estudiosos dos celtas preocupam-se, sim, com essa veracidade, porque querem que os celtas sejam conhecidos tais como eram. Mas outra pergunta nos leva de volta à mesma questão: os acadêmicos sabem, com segurança, como eram eles de verdade, para corrigirem as "projeções folclóricas"? Por outro lado, não se pode julgar essas realizações religiosas, artísticas, adaptações culturais etc. como se fossem obras de pessoas despreparadas: muitos livros, e até espetáculos, que imaginam, ou fantasiam, os celtas como se vivessem hoje são escritos, estudados e organizados por pessoas com currículos de estudos bastante completos, com preparação universitária, estágios e experiência que tudo leva a crer serem respeitáveis. Por isso, ao final deste livro serão incluídos estudos e textos sobre a revitalização ou projeção atual das culturas celtas, sua presença nos vários tipos de artes e técnicas, destacando os rituais, seitas e a renovação religiosa.

Outro problema, que nos reporta à área acadêmica, é: de quais celtas vamos falar? Desde a Idade do Ferro (*circa* 1200 e 1000 AEC),[6] onde se pode localizar o início das culturas celtas, até sua dissolução no contexto da cristandade na Idade Média, vão mais de dois mil anos: não se pode detalhar épocas, mas também não se pode ignorar as *diferenças* entre as épocas. No que se refere à extensão, o problema é semelhante: na sua máxima expansão, os celtas ocuparam quase toda a Europa Ocidental e do Sul, indo da Irlanda até aos Balcãs e penetrando na atual Turquia (Galácia). Só não alcançaram o Norte

---

[6] AEC = Antes da Era Comum. Termo equivalente a Antes de Cristo, sendo que EC é o equivalente para Depois de Cristo. (N. E.)

Escandinavo e o Extremo Leste Eslavo. Para não apresentar generalidades difusas e confusas, e não confundir belgas com escotos, nem boios com gauleses, (calma, vamos falar de todos eles mais à frente!), e na impossibilidade de detalhar as culturas celtas de cada região e época, incluímos alguns capítulos e notas de apresentação geral — origem, dispersão, características, variantes — e preenchemos o grosso da obra com textos e exemplos que abranjam o maior número possível de grupos celtas, desde a Escócia à Galácia asiática.

Uma grande parte do que sabemos dos celtas nos chegou através dos monges medievais. Isso implica levar em consideração não só os celtas ditos "pagãos", ou anteriores aos cristãos, e, portanto, a sua religião e mitologia antes de serem absorvidos pelo Império Romano no período cristão, mas também as "fases" — ou formas de continuidade — posteriores: a permanência da religião celta "oculta" nos rituais cristãos (como o Samhain nos dias de Todos os Santos e de Fiéis Defuntos, e a ideia de Purgatório), e as várias modalidades do Cristianismo de fonte celta, além da literatura medieval inspirada nas tradições celtas, sobretudo os romances que tomam como figura central o Rei Artur, bem como a expansão missionária dos monges irlandeses pela Europa Central nos séculos VI a IX.

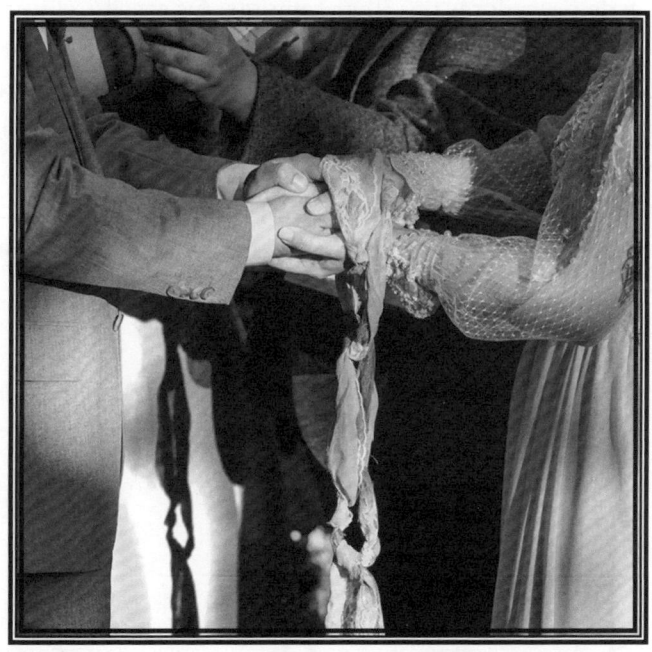

Detalhe de uma tradição celta realizada em um casamento contemporâneo.

CERTEZAS E INCERTEZAS ACERCA DOS CELTAS

Nenhuma sociedade celta usava alfabeto para escrever: apenas alguns druidas escreviam breves frases em caracteres ogâmicos (linhas cruzadas em vários sentidos) e por vezes no alfabeto grego. Nunca redigiram nada parecido com um livro, como narrativas de mitos, ou linhagens de reis, histórias sobre os deuses, biografias ou sequer descrições de território. No entanto, existem milhares de livros sobre os celtas, e muitos deles se consideram relatos fiéis de suas tradições. Em que se fundamentam, então, esses relatos, e como podemos ter alguma certeza da sua fidelidade aos fatos originais? Conforme os lugares e as sociedades, o acervo de fontes é grande e pode ser dividido em três tipos: (I) os relatos de escritores romanos e gregos; (II) os textos redigidos por monges na Idade Média, e (III) as tradições orais de camponeses, e de pescadores das ilhas remotas. Os escritores antigos que conviveram com os celtas, antes de estes se incorporarem à cultura "europeia", ou que conheceram intérpretes e intermediários que viveram com eles — como comerciantes — são os mais próximos e, por isso, os mais confiáveis, mas nem sempre, conforme advertimos ao falarmos de Júlio César. Mesmo assim, os historiadores e outros especialistas, comparando as muitas fontes disponíveis, conseguem chegar a reconstituições razoavelmente confiáveis.

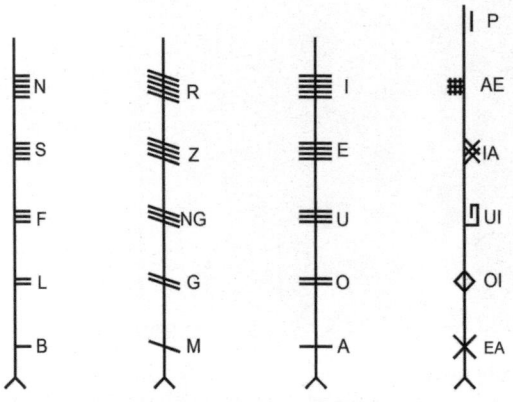

As quatro séries dos 20 caracteres ogâmicos originais e seis letras suplementares (forfeda).

Pilar com nome de guerreiros em caracteres ogâmicos.
Stephen Reid, 1911.

CELTAS E GÁLATAS

Em termos gerais, os celtas foram conhecidos na Antiguidade por diversos nomes, mas quase todos tinham relação entre si: as diferenças eram apenas em virtude da pronúncia de consoantes ou inclusão de vogais. Temos assim:

$$C = K = G$$
$$CELTA = KELTA = GALTA = GALATA$$

Até hoje subsistem esses nomes, e foram se formando outros semelhantes:
- Galegos, da Galícia ou Galiza, Noroeste da Península Ibérica, Galécia para os romanos, cujos habitantes eram chamados galaicos ou calaicos.
- Galeses, do País de Gales, no Oeste da Grã-Bretanha.
- Gauleses, da Gália, hoje França.
- Gaélico, o idioma celta falado na Irlanda e Escócia.

Fora esses, havia outros nomes que indicavam — e ainda indicam — grandes grupos de celtas, nomeadamente os bretões, que deram nome às Ilhas Britânicas. Fugindo por causa da invasão dos anglos e saxões, uma parte dos bretões refugiou-se no litoral da Gália, dando origem à Bretanha francesa, onde ainda hoje se fala bretão.

Os celtas da Irlanda (Erin, ou Eriú) tinham outros nomes: goidélicos, e escotos. Uma parte deles emigrou para o noroeste da Grã-Bretanha, lugar conhecido como Caledônia, região próxima à Irlanda, onde constituíram o reino de Dalriada e deram novo nome à região: Escócia.

Os subgrupos, ou sociedades regionais celtas, eram muito numerosos, e movimentavam-se com frequência; as crônicas e mapas dos tempos romanos citam muitos deles. Por exemplo: uma parte dos belgas, de que já falamos, se dirigiu aos Balcãs, de onde passou à Ásia Menor. Outro grupo notável eram os boios, que deram nome à Boêmia (hoje na República Tcheca), e que, junto com um povo germânico, deram origem à Baviera; na sua migração, os boios chegaram até o Norte da Itália.

LÍNGUAS E PRONÚNCIAS

As línguas faladas pelos antigos celtas — algumas das quais ainda sobrevivem, como o bretão da França — pertencem ao grande grupo dos idiomas indo-europeus, e, apesar de variarem de grupo para grupo, têm entre si muitas afinidades. Considera-se geralmente que há dois tipos das línguas das ilhas:

GOIDÉLICO:
irlandês, escocês e manx (da ilha de Man), o Q celta

BRITÔNICO:
galês, córnico (Cornualha) e címbrico, o P celta.

A sua leitura é que oferece dificuldades, por exemplo, a ortografia do gaélico irlandês e escocês é muito diferente da sua leitura, e o galês tem algumas palavras muito longas, e cheias de consoantes, parecendo impronunciável. Apresentamos alguns exemplos mais simples de gaélico e galês, com grafia brasileira, adaptada do original inglês; repare que, por vezes, para as mesmas palavras cada autor apresenta uma pronúncia diferente:

NOTA:
h: h aspirado simples
hh: h aspirado forte, como jota espanhol
th: como em inglês

GRAFIA	PRONÚNCIA
Ailbhe	Elva
Ailil	Ahlil
Amairgen	Afirguin
Annwfn:	Anâvn
Aoibhinn	Evin
Armagh	Armaá
Beltaine	Biáltaine
Brathair	Brahhar
Caledfwlch	Caledvâlch
Caoilte	Kilta/cuiltia/kilchi
Cathach	Cahahh
Ceridwen	Kerduen
Colum Cille	Culumkile
Conchobar/Conachar	Conhauer/Conor
Connacht	Connit
Cuailnge	Culi
Cuchulain	Cuhhuln/Cuhhulain
Cymry	Cumri
Dal Cais	Dáugahh
Emain Macha	Evn mahha
Filidh	Fíli
Fionnbharr/ Findabair	Finnvar/ Finnavar
Gealbhan Greadhana	Guialvan graina
Glewlwyd Gafaelfawr	Gluluid gavailfaor
Goibniu	Gófni
Gwrhyr, Gwastad, Ieithoedd	Gurir, guaistad, Iaithoith

GRAFIA	PRONÚNCIA
Herimon	Eremon
Ioldanach	Ildána
Leth Moga	Limúa
Lugh	Lu
Medb	Metgv
Miodhchaoin	Midkéna
Naoise	Nicha
Ogham	Ônm
Pwyll of Dyfed	Puil of dâfed
Samhain	Souin/Saon
Sídh Bodb	Shi Bove
Sídh Eas Aedha Ruaidh	Shi Assaroe
Sídh Fionnach	Shí Finerra
Slieve Bloom	Xilív Blum
Slige Mhor	Xilífur
Tain Bo Cuailnge	Toin bou kuli
Tanaiste	Tomníxite
Tuatha De Danaan	Tuahha dei dánan
Uisliu	Ichlu
Uisnech	Uchnehh ou íxiná
Wynebgwrthucher	Uinebgur thâker

Fontes: Squire, Rutherfurd, Cahill, e Matthews (Cf. a bibliografia deste livro para referências completas)

Os próprios irlandeses e escoceses reconhecem essas e outras dificuldades. Durante o período do crescente nacionalismo irlandês, em que se defendia o uso do idioma nativo por oposição ao inglês dominante, um palestrante afirmou que esse idioma estava morto e só era falado por poucos camponeses e pescadores isolados; perante o ruidoso protesto da assembleia, o palestrante disse em voz bem alta: "se não se calarem eu vou continuar falando em gaélico!" Todos se calaram...

Numa visita à Escócia, em abril de 2008, os turistas foram conhecer o novo Parlamento de Edimburgo, orgulho recente porque significava a autonomia política escocesa perante a união com a Inglaterra: o guia explicou que os discursos eram pronunciados no Parlamento em inglês e gaélico, e quando um visitante perguntou: "há muitos discursos em gaélico?", a resposta, depois de alguns segundos pensativos, foi: "houve um, no ano passado". Mas, circulando em Dublin, pode-se ler em alguns ônibus o nome do destino como *Baile Átha Clíath* — o nome de Dublin em gaélico moderno.

Já o píctico oferece outras dificuldades: tem inscrições num alfabeto do tipo *ogham*, mas indecifrável; e inclui elementos não só britônicos e goidélicos, como também pré-celtas.[7]

A análise do movimento milenar no Atlântico (cf. *De onde vieram os celtas*, mais acima), confrontado com inscrições datando do século VIII a. C. e outros indícios, mostram que é provável a hipótese de que as línguas celtas se originaram na frente atlântica há cerca de 2.700 anos, e daí foram se aperfeiçoando, dividindo-se e se expandindo por toda a Europa.[8]

PICTOS E CALEDÔNIOS

Os romanos chamavam de *pictos* os povos do Norte da Grã-Bretanha, porque eles se pintavam (*picti* = pintados, em latim) de azul quando iam nus para a batalha contra os invasores. Mas de onde vieram e quem eram os pictos? Para responder, temos de recuar até a formação das terras depois das

---

[7] LAING, Lloyd & Jenny. *The Picts and the Scots*. Phoenix Mill, Alan Sutton, 1995. p. 20-21.
[8] CUNLIFFE, Barry. *A Race Apart. Insularity and Connectivity*. Proceeedings of the Prehistoric Society, 75, 2009, p. 62.

glaciações. Há cerca de doze mil anos, as geleiras formadas pela última glaciação começaram a degelar em todo o mundo, mas a região que hoje chamamos de Escócia foi um dos últimos territórios a perder o gelo, voltando ao clima *normal* e podendo ser de novo repovoada por plantas e animais. A partir do período Neolítico, há cerca de oito mil anos, grupos humanos originários do continente europeu dirigiram-se a essas terras do Norte, na maior parte muito montanhosas. Foi com essas populações pré-históricas que os celtas se misturaram, dando origem a vários povos e aos caledônios, nome de um grupo maior que, por vezes, designa todos os habitantes do extremo norte. Todos eles podiam ser pictos, porque a designação era de apresentação, não étnica.

Parte do que se sabe sobre os pictos provém das estelas — rochas esculpidas com desenhos — encontradas nos terrenos de agricultura, porém as informações dos desenhos são pouco explícitas, e como os pictos não escreviam e não se davam bem com os romanos — que não escreviam sobre eles —, somente as informações obtidas por meio das estelas são insuficientes, e ficamos na quase ignorância sobre a vida e costume dos pictos. Contudo, no início de 2020, uma nova estela com desenhos e símbolos desconhecidos foi descoberta perto da vila de Aberlemno, na Escócia, dando aos arqueólogos a esperança de obter mais informações sobre os pictos, assim que os símbolos forem decifrados.

Os primeiros grupos humanos que penetraram na Escócia, por volta do século VIII AEC, tinham uma cultura relativamente avançada do ponto de vista técnico:

 *Eram experientes nos trabalhos com ferro, construíam fortificações resistentes, seu artesanato com joias e louças era comparável aos melhores do resto da Europa, construíam aldeias fortificadas, e eram bons lavradores e pescadores, dominando as técnicas de construção de barcos.*[9]

PICTOS E ROMANOS

Todavia os romanos chegaram à Escócia. Pouco depois de 70 d. C., o governador romano da Bretanha, Sexto Júlio Frontino, avançou com as legiões

---

[9] SOMERSET FRY, P.; SOMERSET FRY, F. *The History of Scotland.* Nova Iorque: Barnes & Noble, 1982. p. 16

além dos montes Cheviotes, que marcavam o limite onde começava o território dos pictos, mas sem resultado. Dois anos depois, o novo governador, Cneu Júlio Agrícola (40-93), sogro do historiador Tácito (Publius Cornelius Tacitus, 55-120), avançou de novo para o Norte, e combateu os celtas, que não souberam resistir: eram desunidos e estavam separados em grupos sem um comando unificado. Por toda a Europa, os celtas se mostravam incapazes de ação conjunta, mesmo em caso de guerra — e assim foi na Escócia frente ao invasor romano.[10] Agrícola conseguiu avançar e estabelecer-se, construindo fortes na região Sul entre o estuário do rio Forth e o estuário do rio Clyde. Em 83, aventurou-se até as montanhas do Norte, as *Highlands* (Terras Altas), com um exército de trinta mil homens, procurando os caledonianos, cujo chefe era Calgaich, *o homem da espada*. No verão do ano seguinte deu-se a batalha, em algum lugar das montanhas do Norte, os Montes Grampianos; Tácito descreveu assim o inimigo:

Trinta mil caledonianos, guerreiros destemidos, altos, loiros ou ruivos, vestidos com o tradicional tartan, brilhantes nos esmaltes dos seus escudos e capacetes, seguidos pela infantaria, quase nus e de pés descalços, protegidos por escudos reforçados com metal, e espadas curtas.

Os romanos venceram a batalha: deles morreram 400 homens, contra dez mil caledonianos que caíram: a tática e disciplina das legiões fizeram a diferença. Mas talvez a batalha não tenha sido tão decisiva como a descreve Tácito, favorecendo o sogro, porque a esquadra romana que navegava para o Norte retornou à base no Sul, as tropas romanas em vez de avançarem, recuaram, e Agrícola foi chamado de volta a Roma. Quando deixou a Bretanha, a fronteira entre romanos e caledonianos tinha voltado ao limite anterior, e a ocupação da Escócia continuou encolhendo ano após ano. Foi só quarenta anos depois, em 122, que o imperador Adriano esteve na Bretanha e mandou construir a muralha que leva o seu nome: tinha pouco mais de cem quilômetros de extensão e quatro a cinco metros de altura; nessa ocasião já não restava quase nada da presença romana no Norte.

Passados vinte anos, uma nova investida romana no Norte foi feita, mas o único resultado obtido dessa empreitada foi a construção de uma nova muralha a pedido do imperador Antonino Pio. Entre 208 e 209, o imperador Septímio

---

[10] Nos últimos anos, alguns historiadores, como Haywood, estão revendo essa interpretação, porque a história das guerras dos celtas mostra que é mais fácil derrotar e dominar um povo unido e organizado do que um povo desorganizado. Se o chefe é só um, como Vercingetorix na Gália, basta uma batalha e uma derrota para dominar todo o povo. Mas se o povo está dividido, quando se submete um, o outro se levanta e combate.

Severo comandou nova invasão — e morreu pouco depois. A partir daí, as incursões inverteram o sentido: pictos, caledonianos e demais povos celtizados e aliados atacavam e incomodavam os romanos da Bretanha. Todavia, outros povos começaram a atrapalhar a vida dos pictos: piratas saxões pelo Leste, assaltantes, chamados Escotos, pelo Oeste. Esses estabeleceram um reino no Norte da Irlanda, o Dalriada, que se expandiu para o Sudoeste da Caledônia, e não demorou muito para que os Escotos de Dalriada dominassem os pictos e caledonianos, dando seu nome a toda a Escócia.[11]

Cneu Agrícola introduzindo as artes e ciências aos britânicos nativos.

[11] SOMERSET FRY, P.; SOMERSET FRY, F. *The History of Scotland.* Nova Iorque: Barnes & Noble, 1982. p. 26-28.

HERÓIS E HEROÍNAS

LENDAS E MITOS

Budica por John Opie, séc. XVIII, seus trajes foram representados sem fidelidade aos trajes dos bretões.

BUDICA, A RAINHA GUERREIRA

Quando os romanos invadiram a Grã-Bretanha, muitos Bretões se revoltaram e se opuseram aos conquistadores. A primeira onda de invasores foi a comandada por Júlio César em 55 e 54 AEC., que derrotou o chefe bretão Cassivelauno. O Império ocupou só uma pequena parte da ilha, e a resistência continuou; mas alguns chefes bretões comerciavam com a Gália, no continente em frente à ilha, já então parte do Império Romano, e, por isso, esses chefes não eram hostis aos seus novos senhores. Carataco, chefe da tribo celta dos catuvelaunos, liderou em 51 EC nova coligação contra os romanos, mas foi derrotado e enviado a Roma como prisioneiro. Em 61 EC foram os icenos, comandados por sua rainha Budica (ou Boadicea, que se pronuncia Budica) que se revoltaram. Tomaram Londres e Camulodonum, atraíram outras tribos para combater o Império, mas acabaram derrotados pelas legiões. Os exércitos romanos estavam sempre em menor número, o que os tornava tão fortes eram a disciplina, a preparação militar e a tática de batalha.

O historiador romano Dião Cássio (155-230 EC), um século mais tarde, assim descreve o que lhe contaram sobre a rainha guerreira:

> Budica era alta, terrível no olhar e dotada de uma voz poderosa. Ondas de cabelo ruivo caíam-lhe até os joelhos, usava um colar dourado ornamentado com pedras, uma túnica de muitas cores, e sobre ela um manto grosso fechado por uma fivela. Nas mãos segurava uma lança comprida que amedrontava todos que a viam. Os romanos tinham feito acordos com o falecido marido de Budica, mas não os respeitaram, e os icenos viram-se nas mãos de dois senhores romanos: o governador e o procurador.

Budica instruindo os bretões na guerra.

Outro historiador romano, Tácito, assim se exprimiu:

> *Os bretões pensaram: nós não ganhamos nada com a submissão paciente, a não ser o fato de que, àqueles que deixam as coisas acontecer, o pior ainda está por vir.*

Quando se deram conta da situação, os icenos viram

> *em Budica o símbolo do seu destino, que ameaçava toda a tribo. Quando a figura imponente daquela ruiva tomou a lança nas mãos, os homens apressaram-se a pegar em armas.*[12]

Esquecida durante séculos, Budica voltou a ser conhecida no século XVI, quando se encontraram as obras de Tácito. A partir de então foi elevada à figura de uma das principais heroínas dos britânicos, com estátuas que a representam, óperas, peças de teatro e hinos sobre a sua vida e feitos.

Budica em sua carruagem, com seu exército, História Britânica Antiga.

[12] Herm, p. 212-214; Eluère p. 93; Rayner p. 10-16. Cf. referências completas na bibliografia deste livro.

AS INVASÕES MITOLÓGICAS DE ERIN

Os irlandeses, os naturais da ilha Erin, atribuíam a fundação de sua nação ao Povo da Deusa Dana: os Tuatha Dé Danann.

Mas o povo da Deusa Dana não se constituiu nos primeiros habitantes divinos da Irlanda. Antes deles, outros tinham sido os moradores no "escuro e atrasado abismo do tempo".

A tradição gaélica reconhece duas dinastias divinas anteriores aos Tuatha Dé Dannan. A primeira delas foi chamada "A Raça de Partholon". Seu líder veio — como todos os deuses e homens vieram, segundo as ideias celtas, do Outro mundo, e desembarcou na Irlanda com um séquito de 24 homens e 24 mulheres no 1º de maio, o dia chamado "Beltaine", sagrado para Bilé, o deus da morte. Nessa época remota, a Irlanda consistia apenas em uma planura sem árvores e sem grama, banhada por três lagos e nove rios. Mas, à medida que a raça de Partholon aumentava, a terra se estendia ou se alargava debaixo delas — alguns atribuíam isso a milagres; e outros, aos esforços do povo de Partholon. Durante os trezentos anos em que ficaram lá, a terra cresceu de uma planície para quatro e ganhou sete novos lagos; o que foi uma bênção, pois a raça de Partholon cresceu de 48 membros para cinco mil, apesar das batalhas com os Fomorianos (os indígenas humanos).

As batalhas parecem ter sido inevitáveis. De qualquer forma que governassem, os deuses viam-se em eterna oposição aos não deuses — os poderes das trevas, do inverno, do mal e da morte. A raça de Partholon guerreou contra eles com sucesso. Na planície de Ith, Partholon derrotou o líder deles, um demônio gigante chamado Cichol Sem-pé, e dispersou sua hoste deformada e monstruosa. Depois disso houve tranquilidade por trezentos anos. Então, sempre no fatal 1º de maio, teve início uma misteriosa epidemia, que durou uma semana e destruiu todos eles.

Seguindo-se à raça de Partholon veio a raça de Nemed, que continuou a obra e as tradições da que a precedeu. Durante essa época a Irlanda novamente se ampliou, até contar com 12 novas planícies e mais quatro lagos. Como o povo de Partholon, a raça de Nemed combateu os Fomorianos e os derrotou em quatro batalhas consecutivas. Então Nemed morreu de uma epidemia que matou duas mil pessoas do seu povo. Os remanescentes, deixados sem o seu líder, foram terrivelmente oprimidos pelos Fomorianos.

Vieram depois os Fir Bolg, com suas tribos irmãs, os Fir Dommann, e os Fir Gaillion. A tradição diz que eles vieram da Hispânia e são por isso chamados ibéricos; eles repartiram entre si a Irlanda em cinco províncias. Finalmente os Tuatha Dé Dannan chegaram à Irlanda.

Eles haviam morado em quatro cidades míticas chamadas Findias, Gorias, Murias e Falias, onde aprenderam poesia e magia, e de onde trouxeram para a Irlanda seus quatro tesouros principais. De Findias veio a espada de Nuada, de cuja cutilada ninguém jamais escapou ou se recuperou; de Gorias veio a terrível lança de Lugh; de Murias, o caldeirão do Dagda; e de Falias, a Pedra de Fál; mais conhecida como a "Pedra do Destino", que depois caiu nas mãos dos primeiros reis da Irlanda.

Se os Tuatha Dé Dannan vieram da terra ou do céu, eles pousaram numa nuvem densa sobre a costa da Irlanda no místico 1º de maio sem ter encontrado oposição ou mesmo serem notados pelo povo dos Fir Bolgs.

Mas finalmente os Fir Bolgs se viram frente a frente com os Tuatha Dé Dannan; porém não houve combate: os dois adversários ficaram examinando as armas uns dos outros, e propuseram paz. O rei dos Fir Bolgs não aceitou, a batalha teve lugar, e mais outras batalhas que os seres divinos tiveram que travar até tomarem posse da ilha.[13]

Os Tuatha Dé Danann carregando os quatro tesouros. John Duncan, 1911.

---

[13]   SQUIRE, Charles. *Mitos e lendas celtas.* Trad. Gilson B. Soares. Rio de Janeiro: Nova Era, 2003. p. 64-72.

A INVASÃO DOS MILÉSIOS E O POEMA DE AMERGIN

Milé navegou com os seus oito filhos e as esposas deles. Trinta e seis chefes, cada qual com seu barco cheio de guerreiros, o acompanharam. Por artes mágicas do seu druida, Amergin do Joelho Impoluto, eles descobriram o local exato em que Ith havia desembarcado antes deles, e lá atracaram. Apenas dois não conseguiram chegar vivos. A esposa de Amergin morreu durante a viagem, e Aranon, um filho de Milé, quando a terra estava próxima, escalou o topo do mastro para obter uma visão melhor, mas caiu e se afogou. Os demais desembarcaram a salvo no dia 1º de maio. Amergin foi o primeiro a pisar em terra. Ao pousar o pé direito em solo irlandês, ele irrompeu num poema:

Eu sou o vento que sopra sobre o mar
Sou a onda do oceano
Sou o murmúrio das nascentes
Sou sete batalhões
Sou um touro forte
Sou uma águia sobre uma rocha
Sou um raio de sol
Sou a mais linda das ervas
Sou um corajoso porco selvagem
Sou um salmão na água
Sou um lago numa planície
Sou um artista astuto
Sou um gigante campeão no manejo da espada
Posso mudar minha aparência como um deus.
Em que direção iremos?
Realizaremos nosso conselho no vale ou no topo da montanha?
Onde faremos nosso lar?
Que terra é melhor do que esta ilha onde o sol se põe?

Onde caminharemos de um lado para o outro em paz e segurança?
Quem pode achar para você fontes de águas límpidas como eu posso?
Quem, a não ser eu, pode lhe dizer a idade da lua?
Quem pode chamar o peixe das profundezas do mar como eu posso?
Quem pode fazê-lo chegar perto da praia como eu posso?
Quem pode mudar as formas das colinas e promontórios como eu posso?
Sou um bardo que é chamado pelos marinheiros para profecia.
Dardos serão empunhados para vingar nossos erros.
Profetizo vitória.
Termino minha canção ao profetizar todas as outras boas coisas.[14]

Canção do Druida Amergin.

---

[14]   SQUIRE, Charles. *Mitos e lendas celtas*. Trad. Gilson B. Soares. Rio de Janeiro: Nova Era, 2003. p. 105-6.

Chegada dos filhos de Milé. J. C. Leyendecker, 1911.

O DESTINO DOS TUATHA DÉ DANNAN

Então, depois que Amergin cantou o seu poema, os filhos de Milé, os milésios, marcharam sobre Tara, a capital dos Tuatha Dé Dannan. Pelo caminho encontraram três deusas, e as três lhes pediram que dessem à ilha o nome de cada uma delas; e assim foi feito, pois os três nomes da ilha são Banba, Totla e Eriu, e foi este último que permaneceu como Erin. Chegando a Tara, os milésios e os deuses discutiram muito, parlamentaram, tentando evitar a guerra, mas todos estavam encantados com as belezas da ilha, e não queriam ceder; Amergin invocou o poder da ilha, mais alto do que seus habitantes, e disse:

> *Invoco a terra de Eriu!*
> *O brilhante, brilhante mar!*
> *A fértil, fértil colina!*
> *O vale arborizado!*
> *O rio com fartura, fartura de água!*
> *O piscoso, piscoso lago!*

Houve troca de encantamentos e mágicas, mas, por fim, os milésios derrotaram os Tuatha Dé Dannan. Desanimados, os deuses não mais resistiram, e se retiraram para debaixo da terra, onde permanecem até hoje.[15]

---

[15] SQUIRE, Charles. *Mitos e lendas celtas*. Trad. Gilson B. Soares. Rio de Janeiro: Nova Era, 2003. p. 106-11.

Lamento de Deirdre. Helen Straton, 1915.

O LAMENTO DE DEIRDRE

Era uma vez um bardo chamado Fedlimid, que era amigo do rei Conchobar (Connachar), de Ulster (Norte da Irlanda). Quando a mulher de Fedlimid deu à luz uma menina, chamaram-lhe Deirdre. O druida Cathbad fez sobre ela uma profecia: que sua beleza seria a causa da morte de muitos heróis, e sofrimento para o reino de Ulster. Deirdre cresceu longe de casa, a pedido do rei Conchobar, para que um dia pudesse ter a bela garota só para si. Mas um dia o belo guerreiro Naois foi sequestrá-la, e levou-a para Alba (Escócia). Conchobar mandou buscá-la de volta, e na partida Deirdre entoou um canto de despedida. É uma das histórias mais populares da tradição gaélica, tanto escocesa como irlandesa, da qual foram escritas várias versões entre o século IX e o século XIX. O canto original é irlandês, mas a versão a seguir é escocesa, e a história reflete os primeiros elos culturais entre as duas regiões gaélicas.

> *Eu tive um sonho, ó Naois, filho de Uisnech,*
> *Um sonho para tu decifrares:*
> *No cálido vento sul voavam três pombas brancas*
> *Pairando sobre o mar, levando nos seus bicos aquilo que toda criança adora:*
> *O doce néctar da modesta abelha.*
> *Eu tive um sonho, ó Naois, filho de Uisnech,*
> *Um sonho para tu decifrares:*
> *No cálido vento sul voavam três falcões cinzentos*
> *Pairando por cima do mar,*
> *Levando nos seus bicos três torques ensanguentados*
> *Que para mim significavam a terra.*

E Naois cantou:

Eu decifro apenas os sonhos da noite terrível
Na manhã em que se desfazem em pó, Deirdre
Na manhã em que eles se extinguem.
E se não aceitarmos o convite do grande rei irlandês
Seremos para sempre um inimigo de Erin.

Ferchar Mac Ro, que desconhecia o rancor de Connachar, deu uma garantia:

Se alguém causar dano aos filhos de Uisnech, eu, Ferchar, e os meus três heróicos filhos, lutaremos até a morte para os defender.

No dia em que embarcaram para Erin, começaram os infortúnios de Deirdre: ela, de pé na popa do barco de madeira, cantou o seu adeus à Escócia:

Através das ondas eu te vejo, Alba, a afastares-te de mim,
Choro as tuas florestas e calmos lagos, mas o meu lugar é ao lado daquele que amo
O meu coração está com o meu Naois.

E os filhos de Ferchar cantaram:

Levantamos a âncora, içámos a vela, e fizemo-nos ao oceano profundo.
Dentro de dois dias, com vento e suave brisa
saltaremos na praia branca de Erin,
Na praia branca de Erin saltaremos.

A história continua com traições, fugas, mágicas de druida. Finalmente quando Naois e seus irmãos, Arden e Allen, são mortos a pedido do rei, Dreidre canta, junto aos cadáveres deles:

Ó Naois, meu mais belo guerreiro, flor de todos os homens
Meu amante que já foi tão alto e poderoso
Meu homem dos olhos azuis brilhantes,
ternamente amado por sua mulher.
Nunca esquecerei o som da tua voz desde que

nos encontramos pela primeira vez
Na floresta de Erin, tão clara e pura como água da nascente.

A partir deste momento não serei capaz de comer, de beber ou
de ter um sorriso para o mundo, outrora tão amoroso.

Que o meu coração não desfaleça hoje, pois as marés dos
nossos infortúnios de todos os dias são fortes,

Mas também eu sou um infortúnio.

Possam Arden e Allen jazer juntos, como juntos se mantiveram em vida

Possa Naois dar lugar à sua amada Deirdre,
que na morte permanece sua esposa.

Deirdre saltou para a sepultura, como o salmão salta na impetuosa corrente ou o veado dá saltos nas encostas das montanhas; colocou-se ao lado de Naois, filho de Uisnech, e, de mãos dadas, jazem juntos na morte. Porém o amor de Connachar por Deirdre também perdurou além da morte e quis que o seu corpo fosse levado e enterrado na margem oposta do lago. Quando a multidão partiu, ao entardecer, um abeto-bravo despontou no túmulo de Deirdre, e um outro do túmulo de Naois; cresceram na direção um do outro, entrelaçando-se num nó amoroso, por cima das águas tranquilas. O rei mandou cortá-los, mas sempre cresciam de novo.[16]

Lamento de Deirdre. J. H. Bacon, 1905.

---

[16] BELLINGHAM, David. Introdução à Mitologia Céltica. Trad. Pedro de Azevedo, Lisboa, Estampa, 2000. p. 30-39.

Cuchulain. J. C. Leyendecker, 1911.

VIDA, FEITOS E MORTE DE CUCHULAIN, O HERÓI DO ULSTER

O CORTEJAR DE EMER (TOCHMARC EMER)

Um dia os homens de Ulaid (Ulster) encontravam-se reunidos no salão real do rei Conchobar em Emain Macha, bebendo do Ol nguale, um tonel capaz de suportar tantos litros de bebida quantos necessários para saciar todos os guerreiros numa só rodada. Estes, por sua vez, praticavam e exibiam as suas proezas, e entre eles estavam: Conall Cernach, filho de Amargin; Fergus mac Roich; Loérgus Buadach, filho de Connad; Celtcar Uthidir; Dubthach mac Lugdach; **Cuchulain** mac Súaltim e Scél, filho de Bairdene, porteiro de Emain Macha e também grande contador de histórias. Dentre eles evidenciava-se Cuchulain, que os ultrapassava a todos nas habilidades e na perícia, e por quem todas as mulheres de Ulaid estavam apaixonadas. Além de sua astúcia, a sua beleza também as deixava ainda mais encantadas. Cuchulain ainda não era casado, e os homens de Ulaid sabendo que as suas próprias mulheres e filhas o amavam e desejavam, decidiram que era urgente encontrar uma esposa para o herói. Desse modo, com uma mulher a seu lado, Cuchulain deixaria de constituir um perigo para as suas filhas e não roubaria o amor das suas mulheres. Mas existia ainda outra razão para que Cuchulain devesse casar-se: uma vez que a sua vida não seria longa, era necessário que deixasse um filho, pois apenas uma criança por ele gerada poderia desempenhar proezas semelhantes às suas.

Conchobar enviou então nove homens até cada província da Irlanda para encontrar uma esposa para Cuchulain, mas, após um ano, regressaram sem que tivessem encontrado a mulher adequada. Cansado de esperar, o herói foi procurar uma jovem que já conhecia para a cortejar. O seu nome era Emer, filha de Forgall Monach, que se encontrava a bordar nos jardins de Lug com as suas irmãs adotivas, e a sua beleza era incomparável. Cuchulain aproximou-se, e ela o saudou.

— Que o teu caminho seja abençoado!

E a partir daí, para que ninguém os percebesse, começaram a falar através de enigmas. Avistando os seios de Emer por baixo do vestido, Cuchulain disse-lhe:

— Vejo um país doce, onde poderei descansar a minha espada.

Ela afirmou:

— Nenhum homem pode atravessar este país até que mate cem adversários em todas as fortalezas, desde Scenmenn até Banchuing.

— Descansarei a minha espada nesse país doce — assegurou novamente Cuchulain.

— Nenhum homem pode atravessar este país até que tenha realizado o salto do salmão, carregando às costas o dobro do seu peso em ouro, e até que derrube, com um só golpe, três grupos de nove homens, deixando desarmado o que está no meio do grupo.

— Descansarei minha espada neste país doce.

— Nenhum homem pode atravessar este país até que tenha permanecido acordado entre o Samhain e o Imbolc, e deste até o Beltaine.

— Muito bem. Fá-lo-ei! — respondeu Cuchulain.

E regressou a Emain Macha.

Entretanto, as irmãs adotivas de Emer foram contar aos seus pais a conversa enigmática que tinham ouvido.

O pai de Emer dirigiu-se até onde estava Cuchulain, e, disfarçado, tentou convencê-lo a desistir das proezas exigidas por Emer, mas aconselhou-o a ir à Escócia fazer um treinamento de lutas com as mulheres guerreiras Domnall Mildemain e Scátach. Cuchulain dispôs-se a viajar, mas antes foi encontrar Emer, que lhe contou o embuste do pai; e entre beijos e lágrimas se despediram, prometendo ser fiéis um ao outro.

Para chegar à fortaleza de Scátach, Cuchulain encontrou um grande rio, que só pôde atravessar dando o grande salto do salmão; a guerreira enviou sua filha Uathach para recebê-lo, e ela se apaixonou pelo herói e se deitou com ele.

E assim, entre exercícios e noites amorosas, Cuchulain foi passando o tempo. Por seu lado, Emer foi prometida em casamento a Lugaid mac Nois, irmão adotivo de Cuchulain, mas ela, fiel ao seu noivo, nem dormiu com Lugaid nem aceitou o casamento.

Cuchulain teve ainda outra namorada, Aoife, inimiga de Scátach, que lhe deu um filho. Terminado o treinamento de lutas na Escócia, o herói voltou para a Irlanda, onde procurou sua noiva Emer, mas ela estava aprisionada numa fortaleza, de onde não foi fácil libertá-la. Depois de muitas peripécias, os dois foram para Emain Macha, onde Conchobar os recebeu, mas Bricriu, o Língua de Víbora, insistiu que o direito de desflorar a noiva pertencia ao rei. Porém foi tão grande a fúria de Cuchulain, que o rei não procedeu ao ritual. Cuchulain se casou com Emer e nunca mais se separaram.

Aoife. John Duncan, 1914.

O SONHO DE CUCHULAIN E O CIÚME DE EMER

Todos os anos, durante as festas de Samhain, que duravam sete dias entre muita alegria e música, comida e bebida em larga abundância, os heróis de Ulaid reuniam-se para ouvir as histórias dos guerreiros sobre a sua ação e triunfo nas batalhas. Para provar estes atos de valor e heroísmo, eles enchiam os seus sacos com as línguas cortadas dos seus adversários, embora houvesse alguns que acrescentavam ao espólio línguas de vacas e ovelhas para aumentar o número de troféus adquiridos.

Nesse momento, contudo, chegou um grande bando de pássaros, e todas as mulheres queriam ter pássaros como esses que voavam pelos céus límpidos. Originou-se, porém, uma confusão. Na verdade, cada uma das mulheres de Ulaid possuía uma de três deformidades: as que amavam Conall Cernach tinham o pescoço torto; as que amavam Cúscraid Mend Machae, filho de Conchobar, gaguejavam; e as que amavam Cuchulain haviam cegado um dos olhos para se assemelharem ao herói. Isto porque, quando possuído pela sua *ríasthartae* (a fúria do guerreiro), este fazia com que um dos olhos recuasse de tal forma para dentro de sua cabeça que nem o bico de uma ave o conseguiria tocar, enquanto o outro olho, em contrapartida, era de tal modo projetado para fora, que ficava do tamanho de um caldeirão.

Cuchulain dirigiu-se então ao lago, onde capturou todas as aves, distribuindo duas delas para cada uma das mulheres de Ulaid, à exceção de Emer, para quem não houve aves que chegassem. O marido prometeu-lhe que, assim que voltasse a avistar pássaros junto da planície de Muirthemne, capturaria para ela o par mais belo. Porém, ao tentar capturar um par de aves, Cuchulain adormeceu e teve um sonho, onde viu duas mulheres, uma vestida de verde, e outra de vermelho. Assim ficou Cuchulain dormindo durante um ano, mudo e imóvel. Oéngus, o deus do amor, o visitou e finalmente ele acordou. Viu então a mulher de verde, que lhe falou da mulher mais bela do mundo, chamada Fand, que tinha sido rejeitada pelo marido Manannánn, e queria se deitar com ele, Cuchulain.

Depois de muitas aventuras finalmente o herói deitou-se com Fand, e assim ficaram um mês se amando. Mas Emer ficou sabendo e, acompanhada de cinquenta mulheres armadas com facas, dirigiu-se para o local onde estavam os amantes. A briga foi evitada, Cuchulain acalmou sua mulher, Fand entre grandes lamentos se resignou a ir embora; mas seu marido Manannánn veio buscá-la, e tudo voltou a ser como antes.

Oéngus. John Duncan, 1908.

O ROUBO DAS VACAS DE COOLEY (TÁIN BÓ CUAILNGE)

Este conto é sobre um roubo muito famoso,[17] na verdade, esta narrativa é uma das mais antigas e originais da cultura irlandesa pré-cristã, e consta em quase todas as antologias das façanhas de Cuchulain,[18] e onde não é descrito pelo menos é citado e comentado.[19] O conto é longo e narra a seguinte história:

---

[17] Táin = razia, roubo, *raid*, ataque.
[18] Varandas p. 143-162; Matthews p. 120- 151; Markale p. 116-126. Cf. referências completas na bibliografia deste livro.
[19] Squire, Mac Cana, Chadwick e outros. Cf. referências completas na bibliografia deste livro.

Medb (Maeve), filha do grande rei da Irlanda, Eochaid Feidlech, era uma princesa muito procurada pelos jovens nobres, mas ela colocou três condições para aceitar casar-se: o pretendente devia ter total ausência de maldade, de medo e de inveja, e deveria ser igual a ela em generosidade, coragem e riqueza. Finalmente casou-se com Aillil, rei de Connacht (Connaught), cuja capital era Crunachan. Porém, mesmo depois de casada, Medb continuava a avaliar a riqueza e qualidades do marido, e chegou à conclusão de que em tudo eram iguais, exceto que Aillil tinha um touro enorme chamado *Finnbennach de chifres brancos*, e ela não tinha no seu gado um touro que se comparasse a ele. Enviou serviçais e emissários que descobriram que havia em Ulaid (Ulster) um homem, Dáire mac Fiachna, que tinha um grande touro, o Donn Cuailnge. A rainha entrou em contato com Dáire, pedindo o touro emprestado, mas entre acordos e desacordos Medb decidiu avançar com seus exércitos contra o Norte. No caminho encontrou Fedelm, uma profetisa que tinha o dom da revelação, e previu a derrota de Medb, cantando este poema:

> *Vejo uma batalha e nela um homem louro*
> *De vestes ensanguentadas*
> *Na cabeça uma aura de herói*
> *E o rosto de quem viveu muitas vitórias.*
> *O seu semblante é nobre*
> *E inspira amor em todas as mulheres.*
> *O seu enorme valor lembra*
> *Cuchulain de Muirthemne.*
> *O Cão de Culan, de grande renome,*
> *Não sei dizer quem ele é,*
> *Mas vejo agora todo o exército*
> *Pintado de vermelho pela sua mão.*
> *Cortará as cabeças de milhares*
> *Eu sou Fedelm e não escondo nada.*
> *Ao seu toque o sangue jorrará*
> *Das feridas dos guerreiros.*
> *Morrerão todos.*
> *Por sua causa vejo corpos despedaçados*
> *E ouço os lamentos das mulheres.*

De fato, Cuchulain estava do lado de Dáire, combatendo por Ulster. Ele tinha então dezoito anos, e já era conhecido como o guerreiro mais forte e bravo de toda a Irlanda. Anllil, quando viu as façanhas de Cuchulain, nem queria acreditar, mas Fergus lhe contou a história do herói desde quando era menino. Ouvindo a narrativa, Aillil tentou evitar a batalha fazendo ofertas ao grande guerreiro, mas este recusou todas. A Deusa da Guerra, Morrigan, veio se oferecer para ajudar Cuchulain, e, como ele não aceitou ajuda, ameaçou-o, e atacou-o durante o combate, mas o herói salvou-se.

Continuando a batalha, Cuchulain foi ferido, mas Lug, seu pai divino, veio em seu auxílio, curou-lhe as feridas e fez com que dormisse. Quando acordou, o guerreiro estava pronto para recomeçar a batalha e, cheio de fúria, arrasou o acampamento inimigo matando sozinho centenas de soldados, sem nunca se ferir. Cuchulain gostava muito de Ferdia, seu irmão adotivo, mas Medb convenceu Ferdia a desafiar o campeão. E assim foi, Cuchulain, então, matou seu irmão, e teve com isso grande desgosto. Finalmente, depois de muitos fatos e feitos, os dois touros se enfrentaram, e lutaram percorrendo toda a ilha, até que ambos morreram de feridas e cansaço.

Cuchulain encontra a deusa Morrigan, 1905.

MORTE DE CUCHULAIN

Quando Cuchulain percebeu que a sua vida deveria estar prestes a terminar, encontrava-se exausto e desgastado pelas batalhas em defesa da Planície de Muirthemne. Mas Leborcham pediu-lhe para lutar mais uma vez, e o Cão do Ulster voltou a erguer-se, tentando colocar o seu manto em volta dos ombros. Porém, o alfinete que o prendia caiu e o espetou em um pé, prenunciando uma catástrofe. O herói solicitou depois a Lóeg, o condutor da sua carruagem, que fosse buscar o seu cavalo *Líat Macha*, o *Cinzento de Macha*. Lóeg, contudo, avisou-o de que o cavalo recusava a se aproximar da carruagem e que provavelmente apenas Cuchulain conseguiria aparelhá-lo.

Os maus presságios se sucederam, e as mulheres de Emain Macha choraram e se lamentaram quando ele partiu, porque sabiam que não o veriam mais. No caminho encontrou três mulheres muito velhas, cegas do olho esquerdo, que coziam um cão numa poção cheia de venenos e encantamentos. Cuchulain, o Cão de Ulster, estava proibido por juramento de maldição (*geasa*) de comer animal que tivesse o nome dele, mas as velhas insistiram e ele comeu um pouco do cão, e logo se sentiu muito mal

O guerreiro seguiu seu caminho, debilitado, e teve que enfrentar uma emboscada, da qual foi se safando com dificuldade, até que uma lança feriu o seu cavalo, e logo depois outra lança o atingiu no ventre, colocando suas entranhas para fora. Ele foi até o lago próximo beber água, segurando suas vísceras, e, ao avistar junto da água um anel de menires,[20] amarrou-se a uma das grandes pedras, e nessa posição morreu de pé. Lugaid, que o atingira com a lança, cortou-lhe a cabeça. Os amigos de Chuchulain chegaram e vingaram a morte do herói, e em Ulaid todos choraram a morte do seu mais bravo guerreiro, mas a alma de Cuchulain apareceu a todas as mulheres que o amavam, e conduziu a sua carruagem sobre Emain, cantando canções sobre a vinda de Cristo e o fim do mundo.[21]

Outra versão, mais de acordo com a tradição pré-cristã, diz: as mulheres que o amaram o viram aparecer na sua carruagem druídica, atravessando Emain Macha, e cantando a canção do *Sidhe* (a morada sobrenatural).[22]

---

[20] Menir, também denominado menhir ou perafita, é um monumento pré-histórico de pedra, cravado verticalmente no solo, às vezes de tamanho bem elevado. O anel de menires da história é similar ao círculo de pedras do condado de Wiltshire, conhecido como *Stonehenge*. (N. E.)

[21] VARANDAS, Angélica. Mitos e lendas celtas: Irlanda. Lisboa: Livros e Livros/ Centralivros, 2006. p. 127-167. Resumido e adaptado.

[22] MATTHEWS, Caitlín & John. *Celtic Myths and Legends*. Londres: The Folio, 2006. p. 172.

A morte de Cuchulain. Stephen Reed, 1904.

A RELIGIÃO:

OS DEUSES

Estatueta representando Sucellus, deus céltico da agricultura.

O TESTEMUNHO DE CÉSAR SOBRE A RELIGIÃO DOS GAULESES

Os gauleses tinham práticas ritualísticas que exigiam sacrifício humano. Isso chocava os romanos que, segundo suas concepções, encaravam tais sacrifícios como sinais de incivilidade e barbárie. O ritual que César descreverá a seguir ficou bem conhecido na cultura popular por causa do filme britânico de 1973, The Wicker Man, estrelando Christopher Lee como Lord Summerisle, o aristocrata que introduz práticas e ritos celtas pagãos nas vidas dos camponeses, sendo um deles sacrifícios humanos em um homem de palha gigante em benefício da fertilidade das plantações.

> Todos os gauleses são muito inclinados às coisas da religião. Por isso os que estão afetados por doenças muito graves, os que passam perigos nas batalhas, ou em outras situações, sacrificam seres humanos como vítimas, ou prometem imolá-los, para o que recorrem aos druidas. Eles acreditam que a vida de um homem só pode ser remida pela vida de outro homem, e que os deuses imortais só assim podem ser apaziguados. Até as cidades estabeleceram sacrifícios neste modelo. Fazem simulacros de tamanho enorme, cujos membros de vime entrançado ficam cheios de homens vivos. Tocam-lhe fogo, e os homens morrem envoltos nas chamas. Acreditam que os sacrifícios dos ladrões, dos assaltantes e de outros criminosos é mais agradável aos deuses imortais, mas quando falta esse tipo de gente, também imolam inocentes. (César V, 16)

Cena de Chistopher Lee como Lord Summerisle em frente ao simulacro de palha para sacrifício humano. *The Wicker Man*, 1973. Direção de Robin Hardy.

DEUSES GAULESES, DEUSES ROMANOS

Os romanos eram muito tolerantes com os deuses dos povos dominados, mas a seu modo: só aceitavam os deuses alheios, e o seu culto, se fossem identificados com os deuses romanos que lhes eram equivalentes pelos atributos. Esse processo era semelhante ao que mais tarde se fez no Brasil: o culto dos orixás continuava sob o disfarce de algum santo católico, tal como o culto de fertilidade do mastro da primavera continuou com a proteção de outro santo, que lhe deu o nome. Dizia Júlio César acerca dos gauleses:

> *A principal divindade que eles adoram é Mercúrio, do qual fazem muitas estátuas. Supõem que ele seja o inventor de todas as técnicas, o guia dos caminhos e das viagens, e lhe atribuem a maior influência sobre a lavoura e o comércio. Depois de Mercúrio vêm Apolo, Marte, Júpiter e Minerva, e fazem deles mais ou menos as mesmas ideias que os outros povos. Apolo afasta as doenças, Minerva dá os princípios dos ofícios, Júpiter mantém os céus debaixo do seu império, Marte governa a guerra. Quando resolvem batalhar, é geralmente a ele que dedicam o que conseguem obter. Imolam os seres vivos dos quais se apoderaram e depositam os outros despojos no mesmo lugar. Em muitas cidades há santuários onde se podem ver essas*

coisas. É raro acontecer que as coisas da religião sejam escondidas em casa, ou alguém ficar com uma porção do que é comum. O castigo para esse crime é uma morte cruel, com torturas. (César V, 17)

Todos os gauleses se gloriam de ter origem no mesmo Deus Pai, e dizem que esse é o ensinamento dos druidas. Essa é a razão pela qual contam o tempo pelas noites, e não pelos dias. Tanto na marcação das datas dos nascimentos, como no começo dos meses e dos anos a noite precede o dia. Nos demais costumes, não se diferenciam muito dos outros povos, a não ser no fato de que não permitem aos seus filhos aparecer em público diante dos pais, enquanto não são adolescentes e estão em condições de carregar armas, pois para eles é uma vergonha que as crianças apareçam em público diante dos pais. (César V, 18)

ARTE SACRA CELTA: AS REPRESENTAÇÕES DOS DEUSES

A arte celta visual começou a aparecer durante o período da cultura de La Tène, ou seja, a partir do século V AEC, na Europa Central. Desde esse início, os celtas se apropriaram, ou imitaram, temas e formas dos seus vizinhos: etruscos, romanos, gregos, até dos mais distantes, como por exemplo os citas e, depois, os anglo-saxões. A imitação nunca foi, contudo, por igualdade nos traços de desenho ou pintura, mas por inspiração, mostrando a princípio uma tendência notável: a frequente falta de desenho naturalista, figuracionista, e a preferência por traços abstratos, cada vez mais retorcidos, enosados e labirínticos, patente sobretudo nas iluminuras dos manuscritos irlandeses, de que são magnífico exemplo alguns livros dos Evangelhos, e especialmente o mundialmente famoso Livro de Kells.

A cultura de La Tène (séculos V a I a.C.) caracteriza-se pelo reconhecimento imediato do seu estilo de arte, baseado nos cativantes e complexos padrões sinuosos geométricos. Para muitas pessoas o estilo de La Tène é a arte celta. A arte celta, no entanto, não era apenas ornamental; tinha funções simbólicas religiosas e mágicas, portanto a mudança no estilo provavelmente também representa uma importante mudança nos sistemas de crenças, que acompanhou o surgimento dos chefes de clã de La Tène, e mais tarde se transformou numa forma de arte cristã.[23]

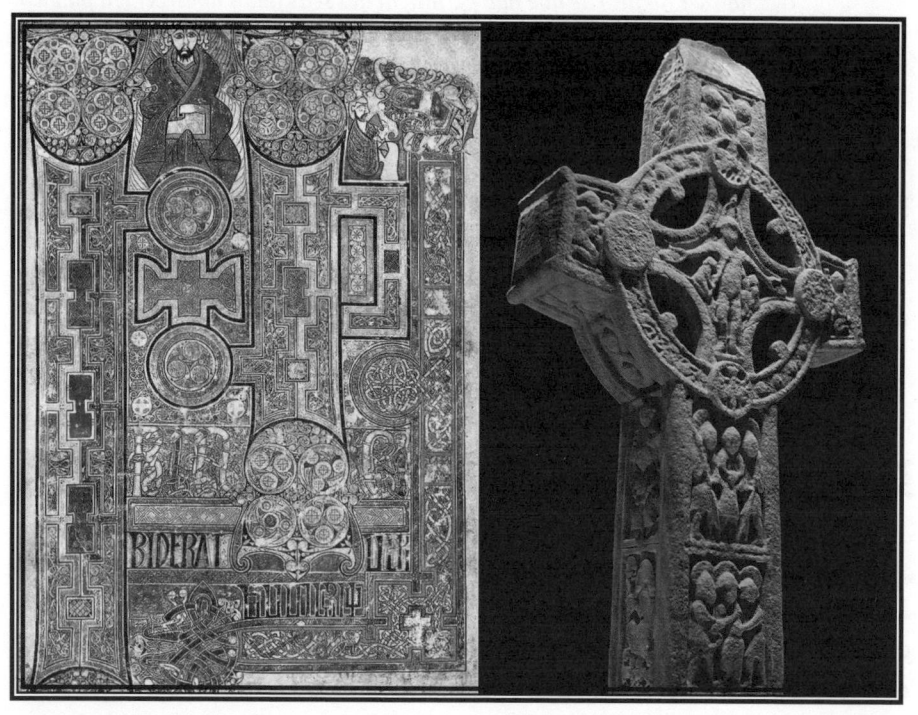

Livro de Kells, fólio 292r, início do Evangelho de João.

Cruz de Clonmacnoise, Irlanda.

A arquitetura era rudimentar, quando não rude, e como não havia templos, a não ser no período romano, não havia muito por onde se exprimir. A estatuária mais conhecida e significativa é constituída pelas cruzes de pedra com rodas e pequenas figuras decorativas.

A arte visual celta, em particular a da Irlanda, teve um longo desenvolvimento, e se caracterizou principalmente nas obras com metais, pedra, e pintura em manuscritos — iluminuras. Mas depois que os normandos e

---

[23] HAYWOOD, J. *Os Celtas da Idade do Bronze aos nossos dias*. Trad. Susana Costa Freitas. Lisboa, Ed. 70, 2018. p. 21.

ingleses invadiram a Irlanda em 1169, a arte celta chegou ao seu fim. No século XIII a cultura e a arte celta já tinham sido absorvidas na corrente geral da estrutura europeia. Mas elas emergiram outra vez e com renovado vigor no século XIX, inspiradas pelo desejo de superar todas as privações que a Irlanda tinha sofrido — como nunca antes tinha acontecido. As muitas e variadas manifestações atuais da arte celta irlandesa são como poderosos símbolos de identidade nacional.[24]

A joalheria era notavelmente bela, e muitas de suas peças ornamentam galerias de museus atuais. As joias eram trabalhos de metalurgia e ourivesaria, em que usavam ferro, bronze, ouro e prata, e muitas pedras.

> *A arte celta é cheia de contrastes: às vezes nos atrai, outras nos afasta; está longe de ser primitiva e simplista, é refinada nas ideias e na técnica, elaborada, inteligente, cheia de paradoxos, sem descanso, estranhamente ambígua.* [25]

Muitos desses adjetivos podem ser também aplicados à poesia, sobretudo a dos monges cristãos: enigmática, arrevesada, usando palavras sonoras e complicadas, quando não incompreensíveis.

Ao contrário da arte religiosa romana, que representava os deuses de forma realista, como humanos completos e belos, a arte celta evidencia o que está para além da realidade, o que é sagrado, diferente do humano. É por isso que a imagem de uma deusa pode ser tripla, ou a serpente pode ter chifres de cervo. As noções de divindade que os celtas tinham enraizavam-se nos fenômenos naturais e, mais do que vistos ou percebidos diretamente, os seres sobrenaturais eram "sentidos", adivinhados. Não era por falta de habilidades técnicas que os artistas celtas não faziam representações realistas, mas porque a estilização e simbolização das figuras eram fundamentais para a representação das suas ideias sobre o divino. O valor artístico da arte sacra celta reside na presença do elemento formal, que não se encontra na natureza, mas na mente que pensa o divino. O modelo representado pode ter origem humana, mas ele é reduzido aos traços essenciais suficientes para que o Deus seja reconhecido. Uma certa ambiguidade, intenção enigmática, e até obscurantismo podem estar presentes, afastando as ideias de exatidão.

---

[24] DUANE, O. B. *Celtic Art*. Nova Iorque: Barnes & Noble, 1996. p. 6-76.
[25] Jacobsthal apud Duane, O. B. op. cit. p. 12.

AS DEUSAS TRÍPLICES

Detalhe de *The Masque of the Four Seasons*. Walter Crane, 1909.

O *Triplismo* é um fenômeno básico na religião celta, e a forma tríplice da Deusa Mãe teve papel importante nos tipos de culto, o que se torna evidente através das muitas imagens encontradas. A maior parte mostra três deusas sentadas lado a lado, e bem-vestidas, mas há muitas variantes que acentuam ou o lado materno e alimentador, ou o papel fertilizador das deusas, sendo seus atributos mais comuns as cornucópias, as cestas de frutas, o peixe e as crianças; em alguns casos a deusa está amamentando. Por estes atributos, fica claro que as Mães representam primariamente a fertilidade e a prosperidade em geral. O fato de a deusa ter uma representação tripla tanto pode significar uma sucessão ao longo das *estações* como uma intensificação do poder divino. Essas representações, e suas venerações e cultos, existiram em vários povos celtas, mas eram peculiarmente importantes na Irlanda, onde as deusas Erin, Fodla e Banbha personificam a própria terra, ou a ilha. Mas há também as três Machas, associadas à guerra e à fertilidade, uma duplicidade de atributos que também está presente no trio Mórrigan. De fato, as Deusas Triplas da Irlanda combinam os aspectos da guerra com os da maternidade, da juventude e da idade com a monstruosidade e a proteção.[26]

AS DEUSAS DA GUERRA

Na Europa que fez parte do Império Romano, e sobretudo na Gália, os deuses da guerra eram geralmente associados a Marte, deus romano da guerra, mas também protetor. Mas na Irlanda foi diferente; o Ciclo de Ulster projeta uma imagem da sociedade celta semelhante à galo-romana: um mundo aristocrático de guerreiros fanfarrões, com festanças e concursos de bravura, combates singulares entre campeões e caçadas de cabeças. Na Irlanda os principais poderes sobrenaturais implicados nas artes da guerra eram femininos e, com certeza, as mulheres estavam ativamente envolvidas nas principais guerras. São exemplos a rainha Medb de Connaught, e Scátach, a amazona que ensinou as artes marciais a Cuchulain. As Deusas da Guerra — veja-se as Deusas Tríplices — combinavam o papel da proteção com o da destruição, mas na Irlanda elas eram particularmente responsáveis pela morte e o caos.[27]

---

[26]   GREEN, Miranda. *The Gods of the Celts*. Godalming: Bramley Books, 1986. p. 78-101. Resumido
[27]   Ibid. p. 119-20.

Rainha Medb.
J. Leyendecker, 1911.

OS DEUSES DO SOL E DO CÉU

Os celtas eram um povo rural, agrícola e pastoril que se preocupava com os cultos da fertilidade: todos os aspectos da religião eram permeados por estes cultos. O céu não está ligado diretamente ao simbolismo da fertilidade na mitologia clássica, mas se associa naturalmente por meio do sol e da chuva, que são essenciais à vida e às boas colheitas. Em algumas representações, inscritas na pedra, o sol está acompanhado de cornucópias, ou uma Deusa Mãe está junto da roda que simboliza o sol.

Em muitas áreas do mundo celta, desde a Irlanda até à Panônia (Hungria) no período romano, Júpiter aparece ligado a apelidos nativos, que geralmente se referem a espíritos locais, muitas vezes de lugares elevados. Isso quer dizer que tais espíritos eram reconhecidos e identificados pela população indígena antes da influência romana. Divindades das montanhas altas podem ter sido deuses das tempestades, do clima, ou simples entidades celestiais. É a esses fenômenos que aparece associado o Júpiter celtizado.

O Deus do Sol e do Céu parece ser ou uma entidade una, porém multifacetada, ou um certo número de entidades menores. A sua esfera de influência inclui o céu, lugares elevados como árvores e montanhas, e, também, o sol e outros astros, e ainda o trovão e o raio. Mas o seu culto pode estar associado à fertilidade e à morte. Daí vem a impressão de que ocorreu uma religião dual, em que cultos patriarcais de tipo solar e celeste ficaram ligados inextricavelmente a cultos matriarcais da terra e do mundo inferior (ctônicos), ambos unidos pelos ciclos anuais das estações — nos quais não faltavam os sacrifícios humanos.[28]

---

[28] Ibid. p. 59-69.

DEUSES DAS ÁGUAS, DEUSES DAS CURAS

Relevo de pedra mostrando a deusa britânica da água Coventina em forma tríplice. Achada no poço de Coventina perto da muralha de Adriano. Hoje está no Museu Chester, Northumberland, séc. II.

A água fascinava os celtas: rios, lagos, pântanos, mares e fontes eram para eles lugares naturais de veneração especial. A própria água era reconhecida como essencial para a vida e para a fertilidade: o movimento constante dos rios, das fontes e dos mares parecia-lhes mágico. Eram sobretudo cativantes as fontes de águas termais, borbulhantes, vindas das profundezas das terras, quentes, e com propriedades medicinais. A água é benéfica como doadora da vida, como curativa, e como meio de transporte, mas também pode ser caprichosa e destrutiva: tempestades arruinavam as colheitas, ondas faziam os barcos naufragar: as águas trazem morte. Os cultos celtas relacionados às águas têm muitas vezes origens pré-históricas, desde a Idade do Bronze. Não sabemos os nomes das entidades sobrenaturais que presidiam essas águas, mas conhecemos algo dos rituais que lhes eram associados, como a prática de valiosas ofertas depositadas em poços, ou de sacrifícios humanos nos pântanos. Há também testemunhos de ofertas feitas aos rios, e sobretudo aos lagos. No período romano, as inscrições dão conta de duplas (casais) de deuses protetores das águas, e, quase sempre o nome do deus romano vem depois do nome de uma deusa celta, como Nantosuelta, ou Verbeia,

Damona, Sirona, Icovelauna, Ancamina, Ritona, Coventina, Arnemetia ou Sulis. Estas deusas eram muitas vezes poliândricas, isto é, podiam ser associadas a vários deuses romanos masculinos.[29]

BRÍGIDA: DEUSA E SANTA

A chegada de Brígida, 1917, John Duncan

O cristianismo entrou na Irlanda no século V sem a presença e o apoio do Império Romano, que nunca ocupara a ilha. Por isso, a transição de religião foi tranquila, se fez sem mártires e sem inquisições. Nada mais natural do que um

---

[29] Ibid. p. 138-66.

casal cristão chamar sua filha de Brígida, porque, ao contrário do que se fazia em outras áreas cristãs, Brígida não era considerada uma *diaba*, uma *demônia*. Brígida, filha de Dagda, era uma deusa tão poderosa e venerada, que muitos pais deram este nome a suas filhas. Entre as muitas Brígidas cristãs, algumas se destacaram, como a abadessa de Kildare, no centro-leste da ilha, que a Igreja Católica venera como santa, festejada no dia 2 de fevereiro. Brígida de Kildare (453-523) foi quase contemporânea de São Patrício (385-461), o missionário dos irlandeses. Por essa razão, é facilmente identificada com a passagem do paganismo ao cristianismo, o que deu origem a muitas confusões. Uns dizem que a Igreja canonizou uma deusa pagã, outros dizem que a deusa encarnou e se converteu ao cristianismo. Essas e outras confusões são inverossímeis, mas mostram, por um lado, a veneração do povo tanto pela deusa como pela santa, e a convicção geral de que, na Irlanda, a transição para o cristianismo não só não foi traumática, como foi feita "com armas e bagagens", isto é, levando os celtas a transferir para o cristianismo quase toda a sua cultura, e, atualmente, fazendo do *revival* céltico a mais forte de todas as reconstruções culturais.

Vejamos algumas descrições da deusa.

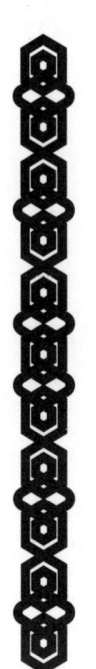

> *Brígida, ou Brigit, filha de Dagda, era a mãe das artes e dos artistas, de todos aqueles que são detentores de um saber manual ou intelectual. Ela era a protetora e mãe dos filid,[30] dos poetas, dos ferreiros e dos médicos. Era também chamada de Belisama, a muito brilhante, ou Suleviae, o Sol. O traço característico desta grande divindade feminina celta é que ela era única contraposta aos quatro deuses masculinos primordiais. Brigit era, ao mesmo tempo, no período romano, Minerva, Juno, Diana e Vênus. Brigit era também a filha do grande deus dos druidas, mãe, esposa e irmã de todos os deuses. Essas identificações incoerentes apenas servem para mostrar que os deuses, sendo imortais e poderosos, têm entre si múltiplas relações. Ela era também considerada a Deusa da Guerra, Morrigan, esposa do Dagda: a acumulação de contradições e impossibilidades ilustra exatamente a sua definição teológica.*
>
> *Brigit, ou Brighid, tinha duas irmãs com o mesmo nome, uma associada à cura de doenças, e outra ligada às artes do ferreiro, e devido a esse nome comum todas as deusas dos irlandeses eram chamadas de Brigit. A sua festa era celebrada anualmente no dia 2 de fevereiro, a que chamavam Brigantia ou Imbolc. Era uma deusa venerada pelos bardos, porque a sua perfeição era muito grande e nobre.[31]*

---

[30] A mais alta classe de druidas. (N. E.)

[31] Guyonvarc'h & Roux, 1995, p. 136-138; Mac Cana, 1983, p. 34. Cf. referências completas na bibliografia deste livro.

Sobre o personagem histórico Santa Brígida:

> *Brígida era filha de Dubtach, e nasceu em 453 em Meath, na costa leste da Irlanda. Era conhecida por sua bondade e caridade, pela defesa dos pobres e oprimidos, e por ajudar os que passavam por adversidades. Ela é protetora das mulheres e padroeira das cozinheiras. No mosteiro que fundou em Kildare ardia uma fogueira contínua, mantida acesa por 19 freiras. Foi sepultada em Downpatrick, ao lado de São Patrício e São Columba, e, junto com eles, é a padroeira da Irlanda. Muitas vezes chamada Maria dos Gaélicos. Sua festa é celebrada no dia 2 de fevereiro, o mesmo dia da deusa Brígida.*[32]

A partir destas breves descrições podemos entender as fusões e confusões que foram feitas entre as duas personagens, a mítica e a real.

> *Os primeiros cristianizadores da Irlanda adotaram a deusa pagã no seu registro de santidade. Os atributos cristãos de Santa Brígida, quase todos relacionados com o fogo, atestam sua origem pagã.*
>
> *Quando o cristianismo substituiu o paganismo, os atributos da deusa foram transferidos para a santa do mesmo nome. Com toda probabilidade o mosteiro de Kildare foi construído no local onde antes existia um santuário pagão.*[33]

A RELIGIÃO DOS PICTOS E CALEDONIANOS

Praticamente nada sabemos acerca da religião dos Pictos pagãos, mas tudo indica que, em termos gerais, as suas crenças estão na mesma linha dos outros celtas. Teriam certamente uma grande variedade de deuses, incluindo os locais que protegiam os rios, lagos, florestas, montanhas e árvores. Possivelmente os deuses eram associados a animais, e alguns animais seriam reconhecidos como sagrados, talvez os que estão representados por símbolos

---

[32] PENNICK, N. *The Celtic Saints*. Nova Iorque, Sterling, 1997. p. 20-21.
[33] Squire, p. 57 e 187; Pennick p. 20; Mac Cana p. 34. Cf. referências completas na bibliografia deste livro.

nas estelas. O grande número de touros esculpidos na pedra em Burghead (Moray) sugere que haveria ali algum tipo de culto ao touro. Na mesma região de Moray, em Covesea, há uma caverna que mostra indícios de sacrifícios humanos — por afogamento ou decapitação. Sobre o mesmo tema existem representações do período cristão que mostram uma árvore decorada com cabeças humanas, e um homem pendurado de ponta-cabeça num caldeirão. Mas essa imagem tanto pode fazer alusão a um sacrifício como ao renascimento. A presença de temas pagãos em representações cristãs não nos deve admirar, porque também há temas arcaicos, pré-celtas, em imagens celtas, inclusive com o uso de lugares de culto neolítico pelos celtas.[34]

OS DEUSES DOS GALEGOS

A surpreendente abundância de teônimos (nomes de deuses) no ocidente da Hispania faz pensar numa importante vinculação com o âmbito geográfico local.[35] Com exceção de algumas divindades veneradas em toda a região galaico-lusitana, que podem ser consideradas uma espécie de deuses nacionais, o restante dos teônimos tem quase sempre dedicação única, o que indica a importância dos cultos locais. Algo muito relevante é que o ocidente da Hispania é uma das regiões de toda a Europa com maior presença de teônimos, pois aparecem registrados cerca de trezentos deuses, de um total de umas quinhentas inscrições conhecidas. Este número contrasta com escassas trinta divindades documentadas em toda a área celtibérica.[36]

A zona mediterrânica apresenta o extremo oposto à Galécia, pois apenas são conhecidos os deuses indígenas. Um dos motivos de tal desigualdade, mas não o único, radica no maior ou menor contato com as civilizações mediterrânicas. As áreas romanizadas mais tardiamente (como a Galécia) foram as que conservaram em maior grau — e por mais tempo — o culto das divindades próprias. O geógrafo grego Estrabão (Strabo) narra que os celtiberos e os povos do Norte (galegos) veneravam um deus sem nome, fazendo sacrifícios

---

[34] LAING, L. *The Picts and the Scots*. Phoenix Mill: Alan Sutton, 1995. p. 21 e 23.
[35] Hispania corresponde à Galiza e ao Norte de Portugal, a Galécia romana.
[36] Centro e Sul da Península Ibérica.

nas noites de lua cheia, enquanto toda a família dançava e cantava diante das suas casas. Um culto semelhante à lua encontrou-se em Sintra (cf. o tópico "as éguas sagradas", neste livro).

A presença de elementos celtas na Galécia (Galiza) é muito significativa, tanto em qualidade como em quantidade, e atinge os diversos aspectos do mundo sagrado. No que diz respeito aos santuários, a raiz celta nemeton (que indica o termo "santuário") está presente em algumas palavras entre os galaicos, com elementos como *nemetatos*, *Nemocelo*, e, em especial, *Nemetobriga*. Quanto aos sacerdotes, Estrabão fala em *hieroskopos* (vigilantes sagrados), que parecem ser especialistas religiosos semelhantes aos druidas, sobretudo porque teriam a supervisão dos sacrifícios humanos praticados no Noroeste da Hispania, como os que se realizavam na Gália e na Britânia.[37]

Segundo os autores clássicos, os galegos veneravam montes, fontes, rios e árvores. Na época romana, as fontes foram consagradas às ninfas, prova de um culto anterior enraizado. As águas termais foram objeto de cultos especiais: os deuses indígenas Bormanico, Edovio, Tongoenabiaco eram, segundo parece, deuses das águas termais. Também há deuses identificados com rios, como Navia, Vagodonaego, Durio e Tameobrigo. Mas o que aparece nas inscrições em pedras, na epigrafia das terras galegas, é um verdadeiro exército de deuses: Aegamuniaeco, Aerno, Bodo, Brico, Caraedudis, Caro, Cauleces, Corono, Crougintaudadigoe, Cusumenaeco, Deganta, Durbedico, Figuena, Macario, Mamdica, Mentiviaco, Netaciveilferica, Ocarae, Rego, Tueraeo, Vaccaburio, Verore, entre muitos outros. A interpretação de cada um desses deuses é difícil, e provavelmente tinham apenas significado local, de clãs, ou de castros, ou de grupos anteriores aos celtas. Alguns desses deuses eram próprios da região dos galegos, outros eram também cultuados na Lusitânia, e as Mães da Galécia eram comuns a toda a Península.

Os escritores gregos e romanos disseram que os galegos ofereciam sacrifícios humanos, que eram muito hábeis em adivinhar o futuro pelo voo das aves, pelo fogo do céu e especialmente pelo exame das entranhas das vítimas sacrificadas, e tiravam prognósticos pela maneira como sucumbiam quando eram feridas de morte. Não há sinais nem de templos nem de ídolos, a não ser algumas esculturas. Mas havia lugares sagrados, cujo nome era nemeton, como entre os demais celtas. Na Galécia havia sacerdotes, mas não se sabe ao certo se eram druidas.[38]

---

[37] Balboa Salgado, 112, 136 BALBOA SALGADO, A. *A Galicia Celta*. 2. ed. Santiago de Compostela: Lóstrego, 2007. p. 112, 136.
[38] RISCO, V. *Manual de História de Galicia*. 2. ed. Vigo: Galáxia, 1971. p. 27-28.

OS HELVÉCIOS

Júlio César, no seu *Comentário à Guerra das Gálias*, depois de breve referência aos belgas, detém-se a falar dos helvécios, outro grupo celta, dos quais também diz que são os mais valentes, e pelo mesmo motivo: porque seus vizinhos germanos não os deixavam em paz, e os atacavam todos os dias. O mais nobre e rico entre os helvécios era Orgétorix, que conspirou com outros nobres para deslocar todo o povo em direção ao Ocidente, a fim de ocupar a Gália. Durante dois anos se prepararam para a emigração em massa. Orgétorix morreu, mas o projeto persistiu, e finalmente o povo se pôs em marcha com armas e bagagens, cerca de duzentas e cinquenta mil pessoas, segundo os posteriores cálculos de Júlio César, o qual, alertado do êxodo, atravessou os Alpes com as suas legiões, impedindo as viagens dos helvécios quando já iam na metade do caminho. Houve negociações, embates, troca de reféns, alianças com os povos locais, como os eduanos, que viviam na região leste da atual França; finalmente, perto de Bibracte, principal cidade dos eduanos, travou-se uma sanguenta batalha, que César descreve com detalhes (I, 1 a 29). Após a batalha, os helvécios se renderam, e aceitaram se retirar para leste, fixando-se na região dos Alpes onde é hoje a Suíça, cujo nome oficial é Confederação Helvética (CH).

A deusa principal dos helvécios parece ter sido Alpina, Deusa da Terra e das Montanhas, venerada por todos os povos que habitavam as serras dos Alpes; o culto remonta aos mais antigos habitantes da região, anteriores à chegada dos celtas. Contudo a existência da deusa é atestada apenas por placas votivas, e inscrições em pedras, as aras; o mais que se sabe a seu respeito foi deduzido quer do tipo e estilo das inscrições, quer comparando essas informações com a etimologia do nome e com as tradições populares, e ainda com deusas dos indo-europeus de outras regiões.

Em toda a região habitada pelos helvécios se encontram estatuetas, altares inscrições e pequenos santuários (*nemeton*) dedicados aos Devas, os deuses menores. Alpina, que representava a proteção das montanhas, a riqueza dos seus metais e a fertilidade das terras, era a Mãe dos Deuses e dos seres humanos.

É provável ainda que Alpina assumisse outra face, outra identidade, como Deusa da Morte, no inverno, quando em todos os lugares das montanhas os espíritos, os *moriatis*, andavam à solta. No mundo inteiro, onde houve populações vivendo próximo a montanhas, essas eram tidas como sagradas, e lugares onde os seres sobrenaturais habitavam — ou eram identificados com elas: as deusas e deuses dos lugares altos.

Como muitas vezes acontece em outras regiões, a Deusa Mãe Alpina era associada a outras deusas celtas, como Brigantia, e a germânica Pertcha. Essas e outras identificações conduziram à ideia contemporânea, cada vez mais presente no neopaganismo, da Grande Deusa, que substitui o Deus Pai — Júpiter, *Dis Pater*, Zeus, ou Iavé, e muitas outras personificações patriarcais. No caso de Alpina, ela seria a representação da figura primordial e típica da deusa Deméter, *Dea Mater*, a Mãe da natureza. Alpina seria, à semelhança de Deméter, a deusa que não só protege e alimenta, como a Mãe, mas aquela que, na montanha, une o mundo terrestre com o divino — o inferior, ctônico, com o celeste.

A grande mãe (Ceres, Deméter, Verão). Jean-Antoine Watteau, 1717-18.

DEUSES GAÉLICOS E BRETÕES

Os celtas, tanto do ramo gaélico quanto britânico (bretão ou galês), dividiram-se em numerosas tribos pequenas, cada qual com suas próprias divindades locais incorporando as mesmas concepções essenciais sob nomes diferentes.

Havia o deus do submundo, de forma gigantesca, igualmente patrono dos guerreiros e menestréis, mestre das artes da eloquência e da literatura, possuidor de riqueza sem limites, ao qual algumas das tribos britânicas veneravam como Brân, outras como Urien, outras ainda como Pwll, ou March, ou Mâth, ou Arawn, ou Ogyrvran.

Havia o senhor de um lugar elísio — Hades no seu aspecto de um paraíso dos falecidos em vez do domínio subterrâneo primevo onde todas as coisas se originaram —, a quem os bretões de Gales chamavam Gwyn, ou Gwynwas; os bretões da Cornualha, de Melwas; e os bretões de Somerset, de Avallon ou Avallach. Sob este último título, seu domínio é chamado Ynis Avallon, ilha de Avalon, ou, como conhecemos a palavra, Avilion. Dizia-se que ficava na "Terra do Verão", que, no antigo mito, significava Hades. Foi só em dias posteriores que a mística ilha de Avilion fixou-se à terra como Glastonbury, e a "Terra do Verão" elisiana como Somerset.

Havia um poderoso governante do céu, um "deus das batalhas", adorado em lugares elevados, em cujas mãos estava "o rígido arbitramento da guerra"; alguns o conheciam como Lludd; outros como Myrddin, ou como Emeys.

Contudo também havia uma divindade mais gentil, amistosa para o homem, que ajudava nos combates, ou adulava os poderes do submundo; era chamado **Gwydion, e Artur**, sim, o conhecido Rei Arthur.

Finalmente, talvez, para ser imaginado em forma concreta, houve um deus do sol, de braços compridos e aguçados como lanças, que ajudou o deus da cultura em seu trabalho. Era conhecido como Lleu, ou Gwalchmei, ou Mabon, ou Owain, ou Peredur, e sem dúvida por muitos outros nomes; e com ele geralmente é encontrado um irmão representando não a luz, mas as trevas.

Esta expressão de uma única ideia por diferentes nomes também pode ser observada no mito gaélico, embora não tão claramente. No entrechoque de clã contra clã, muitas dessas divindades pereceram, completamente esquecidas, ou sobreviveram apenas como nome, para formar na Irlanda a vasta e sombria população que alegava ser os Tuatha Dé Danann e, na Britânia, extensa lista dos seguidores de Artur. Outros, deuses de comunidades mais fortes, aumentariam sua fama enquanto seus veneradores ampliavam seu território, até que, como aconteceu na Grécia, as divindades principais de muitas tribos se juntassem para formar um panteão nacional.[39]

Porém, assim como a Irlanda nunca chegou a formar uma unidade nacional permanente e coerente, também não chegou a criar um panteão "organizado".

---

[39] SQUIRE, Charles. *Mitos e lendas celtas*. Trad. Gilson B. Soares. Rio de Janeiro: Nova Era, 2003. p. 164-263.

Rei Arthur em Avalon (1881-98.) Detalhe da tapeçaria desenhada por Edward Burne-Jones.

POR TUTATIS!

Nunca houve deuses que fossem venerados por todos os celtas, e, ao contrário dos deuses romanos e gregos, destes não se conhecia a história, a biografia, nem a família. Por isso não se pode falar de um panteão celta, e apenas de uma forma rudimentar se pode dizer que há uma mitologia celta.

Alguns deuses, porém, recebiam culto de muitos grupos celtas; assim eram Lug e Morrigan, e também Taranis, Teutatis, Beleno e Belisama. Eram deuses conhecidos desde as ilhas até boa parte do continente, por vezes assimilados a deuses romanos.

Taranis, o deus do trovão, teve seu culto disperso por quase toda a Europa central, das ilhas até o Danúbio. Os romanos o identificaram com Júpiter por causa do raio e do trovão; seu nome tinha muitas variantes: Taranucno, Taranino, e outros, pelos quais alguns estudiosos o relacionam ao deus nórdico Thor, o Trovão. Um dos símbolos de Taranis é a roda de oito raios, que representa o Sol. Nos sacrifícios humanos em sua honra as vítimas eram queimadas dentro de troncos de árvore.

O caldeirão de Gundestrup. Dinamarca. Da esquerda para a direita, Tutatis e Smertulus-Ogmios. Museu Nacional da Dinamarca.

Detalhe do *Caldeirão Gundestrup*, criado entre 200 AEC e 300 EC, acredita-se que tenha uma representação do deus Taranis na parede interna do caldeirão.

Tutatis era o deus dos gauleses e bretões, protetor das aldeias locais — muito conhecido pela invocação "Por Tutaatis!" nas *aventuras de Astérix* —, ele era o Pai da tribo. Seu nome também aparece como Teutatis. Para os romanos ele era Marte, às vezes Mercúrio, e era tido como um deus guerreiro, ao qual eram oferecidas vítimas humanas em sacrifício.

Beleno, ou Belenos, Deus do Sol, seu nome provavelmente significa o *luminoso*. Era um dos principais deuses cultuados por praticamente todos os grupos celtas: os lugares do seu culto encontram-se desde a Áustria à Espanha, e da Itália à Inglaterra. No período romano, foi relacionado com Apolo. Era em honra de Beleno que se acendiam os fogos dos festivais de Beltaine. Seu nome estava relacionado com a cura de várias doenças, e encontrava-se muitas vezes junto às fontes, sobretudo as termais. Por isso Beleno, quando associado ao Apolo romano, tinha um simbolismo duplo: solar e curativo. Em alguns lugares da Gália, essa associação aparecia mais evidente quando uma roda, símbolo do Sol, em chamas, era mergulhada nas águas de um rio, e depois voltava a ser guardada no templo. Esse ciclo sol-fogo-luz-água é claramente um rito de fertilidade.

Belisama, a luz do verão, era a esposa de Beleno, e a Deusa do Fogo, dos rios, dos lagos e das artes, por isso, os romanos a identificavam com Minerva. Seu culto principal era na Gália e na Grã-Bretanha.

LUGH, O DEUS SOL, OU O GUERREIRO DOS BRAÇOS COMPRIDOS

Com pequenas variações no nome — Lugh, Lug, Lugus, Lleu etc. —, este deus está presente em quase todas as mitologias celtas mais conhecidas, particularmente na gaélica da Irlanda e Escócia, na galesa e na gaulesa. Lug era o centro do festival do solstício de verão. Os gaélicos também o chamavam Lamhfada (Laváda), que quer dizer "o da mão comprida" ou "o longo braço", porque ele realizava suas proezas de guerreiro com a funda, que atirava pedras à distância. Na Irlanda Lug era filho de Cian (Can), e sua mãe era Ethniu; seus avós eram, respectivamente, Diancecht e Balor. Lug era Ioldanacht (Ildâna), o mestre de todas as artes: ferreiro, tocador de harpa, poeta, feiticeiro, médico e guerreiro. Como todos os deuses celtas, nele mal se distinguia a natureza humana da divina, era tudo em um só: herói humano e deus sobrenatural. Por essas qualidades os Tuátha Dé Danaan lhe entregaram o comando das tropas na guerra contra os Fomorianos. Antes da guerra começar, Lug atacou e matou uma multidão de inimigos, que ficaram aterrados quando ele apareceu sozinho montando o cavalo Crina Esplêndida, usando armadura impenetrável, portando espada e dardos envenenados, *brilhante como o sol poente*, e seu resplendor era tal que não conseguiam olhá-lo de frente. Na batalha principal, os Tuátha Dé Danaan queriam poupar Lug e o colocaram na retaguarda dos guerreiros; mas Lug enganou-os, pôs-se à frente das tropas e incitou os guerreiros ao ataque. Foi então que o avô de Lug, Balor, o do olho fulminante, que era Fomoriano, quis matar o neto com o seu olhar arrasador, mas Lug lançou com a funda uma pedra que arrancou o olho de Balor.[40]

OS DEUSES MORTAIS

Os deuses celtas não eram considerados imortais, nem todo-poderosos: eram como os humanos, mas com mais poderes e capacidades. Os deuses podiam viver muitos séculos, mas não eram eternos: às vezes morriam combatendo em batalhas, ou eram assassinados; podiam morrer de doença, ou de velhice. Se, do ponto de vista da religião, esta condição mortal dos deuses é peculiar, também é característico o fato de o poder dos deuses ser de origem mágica, isto é: não têm poder por si mesmos, mas pelo conhecimento da manipulação das forças naturais. Frequentemente a narrativa assinala que o deus usou uma magia druídica: nesse caso o druida seria mais poderoso do que o próprio deus. Tudo isso faz com que, nas religiões celtas, e particularmente

---

[40] SQUIRE, Charles. *Mitos e lendas celtas*. Trad. Gilson B. Soares. Rio de Janeiro: Nova Era, 2003. p. 46, 77, 81 e 96.

na dos escotos, os gaélicos irlandeses, haja muita proximidade, ou mesmo familiaridade, entre os deuses e os seres humanos comuns.

Mas esta explicação não é completa nem universal, e em muitos pontos pode não ser verídica: os deuses não são todos da mesma natureza, e, mais do que isso, como os celtas antigos não escreviam seus mitos e lendas, apenas os repassavam de "boca de druida para ouvido de druida", tudo o que deles sabemos foi o que chegou por via oral aos ouvidos dos monges copistas da Idade Média. Os monges podem ter modificado o que ouviram (certamente em muitos casos sabemos que o fizeram). Assim, quando Squire diz que "os deuses não podem realmente morrer", mas, após a morte, "iniciam uma nova vida", está afirmando que os celtas acreditavam em reencarnação ou transmigração das almas — só para os deuses? Talvez. Além disso, os deuses são por vezes chamados imortais sem que tenhamos uma ideia correta do que isso quer dizer. A única coisa que podemos saber é que as teologias celtas eram muito diferentes das nossas, eram variadas e flexíveis, e as crenças que lhes estavam conexas, como acerca da alma ou do outro mundo, não eram como as nossas — e, também, nós não podemos dizer que temos, hoje em dia, as mesmas crenças em toda a parte.

Afinal o que distinguia os deuses — e os semideuses, seus filhos — dos humanos eram os prodígios e maravilhas que faziam, como cortar o topo de uma montanha com um golpe de espada, comer sozinho bois inteiros, beber barris de cerveja, matar e trucidar inimigos aos milhares de uma só vez, ou fazer o mar ferver enquanto tomavam banho. Outra habilidade dos deuses, que os humanos não têm, é a de se transformar em qualquer animal: cisne, touro, enguia, e deste em outro, e voltar à mesma forma aparentemente humana. Aliás, também neste aspecto as histórias são muitas e não obedecem à mesma doutrina ou lógica umas das outras.

Outra característica dos deuses celtas — talvez não muito diferente das dos deuses de outros povos — é que as maravilhas e prodígios que os deuses fazem, os poderes mágicos que usam, raras vezes são em favor dos pobres e aflitos seres humanos. Por vezes, os deuses ajudam os humanos, mas a visão geral que se obtém deles é que as suas batalhas, viagens, casos de amor, conflitos, banquetes e festas constituem um mundo muito diferente do dos humanos, um mundo que os deuses têm para si mesmos, e em referência ao qual os seres do mundo comum têm medo, respeito, e tiram pouco proveito.

DEUSAS, GUERREIRAS, RAINHAS, SANTAS, E OUTRAS

As mulheres nas sociedades celtas, especialmente na irlandesa, usufruíam de muito mais autoridade e liberdade do que as de outras sociedades e etnias, como a grega, ou as germânicas. As mulheres combatiam na guerra, eram feiticeiras e bruxas, poderosas rainhas, e estas podiam ter, como os reis, amantes e namorados. Mas é provável que esses privilégios só fossem atribuídos às mulheres das classes superiores, porque as do povo comum provavelmente eram tão submissas e dominadas como as de qualquer outra sociedade antiga. O certo é que a literatura, tanto a lendária como a mitológica, destaca muitas mulheres que tiveram papel importante, e que são exaltadas por seus poderes e qualidades. Além disso, muitas deusas receberam tal culto

Ilustração de Leo e Diane Dillon para a capa do livro *The Eagle and the Raven* (1978), de Pauline Gedge.

e veneração e se tornaram figuras notáveis, representando o fator feminino na vida social: o prestígio das deusas repercutia sobre a condição social da mulher. Entre as guerreiras havia algumas conhecidas como amazonas, e uma delas era a formidável Scátach, que vivia com seus filhos numa ilha. Uma das proezas de Cuchulain foi chegar até lá e convencer a guerreira a ensinar-lhe as suas habilidades nas armas. Scátach aceitou, e, depois de aprender as artes guerreiras, Cuchulain venceu Aoife (Ifa), a rainha rival das amazonas.

Por essas e outras façanhas, quem se apaixonou pelo herói foi Mórrigan, a Deusa da Guerra. Ela se disfarçou de mulher que precisava de ajuda, toda vestida de vermelho, e gritou tanto, que Cuchulain foi atendê-la; quando chegou perto delad a deusa declarou o seu amor, mas Cuchulain respondeu que não tinha tempo para isso; então a deusa voltou-se contra ele e prejudicou-o com armadilhas e feitiços em tudo o que o herói fazia; porém, passado algum tempo, Cuchulain conseguiu vencer todos os obstáculos, e Mórrigan voltou a ajudá-lo.

Mas este "cenário" da mulher guerreira é incompleto e não mostra outros aspectos da vida das mulheres celtas — e, lembre-se, estamos falando por enquanto só dos celtas escotos ou goidélicos, os irlandeses. Pois se algumas mulheres eram guerreiras — e Mórrigan era a Deusa da Guerra — isso não quer dizer que o ideal de todas as mulheres era a guerra, como era nos homens. Pelo contrário, quando Cuchulain se apaixonou pela mulher com quem viria a se casar, Emer, ela foi descrita como "bem doméstica" e tradicionalmente feminina, pois dela se dizia que tinha os seis dons: beleza, voz e fala doce, costura, sabedoria e castidade.

A DEUSA MÃE

Numa sociedade cuja sobrevivência diária dependia da terra, das estações e da fecundidade das colheitas e do gado, a preocupação com o simbolismo da fertilidade era um fenômeno totalmente natural. Sendo um povo essencialmente rural e agrícola, os celtas partilhavam essa preocupação com outras sociedades não industriais, tanto as antigas como as atuais.

Os ritos de fertilidade dominavam as atividades de culto e religião, o que se mostra, entre outras coisas, pela quantidade de divindades associadas à fertilidade. Todas as divindades celtas femininas tinham a ver com a reprodução e com a prosperidade. Vê-se o elemento divino da fertilidade numa sociedade celta com mais clareza e obviedade nos vários tipos de Deusa Mãe, cuja presença e culto são mais evidentes no período romano. Numa comunidade interessada em controlar o comportamento das estações e em aplacar e tornar propícias as forças que se impõem aos ciclos da vida e da morte, as imagens de deusas associadas à abundância e à vida são as manifestações mais evidentes.

Mas as concepções acerca dessas deusas eram complexas porque seus cultos tanto tinham a ver com os vivos como com os mortos. As imagens da Deusa Mãe que traz a vida eram enterradas nos túmulos com os mortos, e, além disso, elas eram entidades destrutivas, associadas diretamente à guerra.[41]

Celtic Mother Goddess, AI illustration.

[41] GREEN, M. *The Gods of the Celts*. Godalming: Bramley Books, 1986. p. 72.

ATÉGINA, A DEUSA LUSITANA DA VEGETAÇÃO

Modelo artístico de como poderia ser uma representação antropomórfica de Ataegina. Esta reimaginação foi baseada na Senhora de Baza, uma escultura ibérica de pedra calcária, datada aproximadamente do século IV AEC. Observe as duas cabras ao seu lado, atributo da deusa.

Quem alguma vez teve a felicidade de estar num campo, tendo por companhia apenas os tapetes dourados cheios de trigo ou o vale cheio de milho e pomares, submerso nos cheiros dos frutos maduros do verão e tendo consigo apenas a luz fulgurante, o silêncio e o pulsar melífluo da brisa, poderá ter sentido um dia essa deusa que se nos apresenta à nossa antiga clarividência, de súbito desperta, e que os antigos chamavam Ceres-Deméter, e os nossos antigos lusitanos nomeavam Ataecina (ou Atégina). Os Mistérios de Ataegina--Ataecina dependem da terra fecunda do subsolo e, embora existindo por muitos outros e diversos nomes, em essência ela é a mesma pela eternidade: a Magna Mater (a Grande Mãe).[42]

Porém, como muitas vezes acontece com os antigos deuses, Atégina tem outros atributos, e a pesquisa sobre ela nos leva a outras direções.

De Atégina, ou Ataecina, sabemos que é uma das divindades mais poderosas do nosso panteão, que é uma deusa tripla. O seu aspecto mais evidente, porém, a julgar pelo tipo de pedidos que lhe eram dirigidos, é o de Deusa da Morte. O seu culto parece ter sido extensivo à região central da Península Ibérica, de Mérida à Catalunha, mas há vestígios de templos e santuários dedicados a Atégina em outras regiões da Lusitânia. Habitualmente pensa-se que não existem ícones antropomórficos desta deusa, encontrando-se apenas representada na sua zoofania da cabra.[43]

ARTIOS, A DEUSA-URSA DOS HELVÉCIOS

Artios era uma das divindades mais populares da antiga população da região que é hoje a Suíça; seu nome significa ursa, e tem variantes como Art, Arth, Ard em outros idiomas celtas antigos, pois os cultos à ursa, ou ao urso (Artaius), estavam difundidos por toda a Europa, e não só na cultura celta. Na região dos Alpes esse culto está atestado por estatuetas cuja antiguidade remonta ao Neolítico. Pouco se sabe das crenças dos helvécios acerca de Artios, mas comparando com outros povos, e com os traços fundamentais da vida dos ursos, pelo menos três características se podem atribuir a Artios: as ursas são mães ferozes quando suas crias estão em perigo, o que faz de Artios uma mãe divina protetora; os ursos hibernam no inverno, e acordam na primavera, o que faz deles os anunciadores da nova vida; e a habilidade dos ursos de

---

[42] LASCARIZ, G. *Deuses e rituais iniciáticos da Antiga Lusitânia*. 2. ed. Sintra: Zéfiro, 2015. p. 144-6.
[43] FRAZÃO, L. *A Deusa do Jardim das Hespérides*. Desvelando a Dimensão Encoberta do Sagrado Feminino em Portugal. 2. ed. Sintra: Zéfiro, 2021. p. 70.

caminharem em pé, como os seres humanos, facilita a compreensão da sua proximidade com a vida humana.

A deusa Artios presumivelmente na forma humana e na ursina do grupo de estatuetas Muri, uma notável coleção de figuras de bronze galo-romanas encontradas em Muri bei Bern, Suíça, 1832.

DEUSES CELTAS EM FORMA DE ANIMAIS

Os celtas não adoravam animais, mas, tal como os egípcios (com uma teologia diferente),[44] respeitavam e veneravam animais que não só eram símbolos de certos deuses, mas podiam eventualmente ser suas encarnações temporárias. De fato, os deuses tinham, na concepção dos celtas, o poder de se transformar naquilo que quisessem, e, portanto, podiam aparecer aos humanos em forma de corvo, de cavalo, de lebre ou de qualquer outro animal. Porém

---

[44] Para mais informações sobre a teologia egípcia, consultar livro *O Panteão Egípcio*, lançado pela Editora Pandorga, confira a disponibilidade nos nossos canais oficiais. (N. E.)

a cada deusa e deus, os celtas associavam preferencialmente certos animais: o cavalo era de Epona, o cão era de Nehalennia, a ursa era associada a Artios. Mas esses animais podiam às vezes estar junto das imagens de outros deuses, como se o cão, o cavalo ou a ursa tivessem valor por si mesmos, e deste modo completavam simbolicamente os atributos de qualquer deusa ou deus. A ursa era venerada na região de Berna, na Suíça, com um atributo ambíguo, ou de duas vias: protegia os caçadores contra os ataques dos ursos, e protegia os ursos contra os caçadores. A lebre também era venerada, mas ficou mais conhecida através das religiões dos germanos, porque era o animal símbolo da Deusa da Primavera, a Easter dos anglo-saxões; ora, em inglês, Easter é o nome cristão para Páscoa — nova vida, ressurreição — o que resultou em certa identificação/confusão, quando o símbolo da Páscoa passou a ser o coelho/lebre.

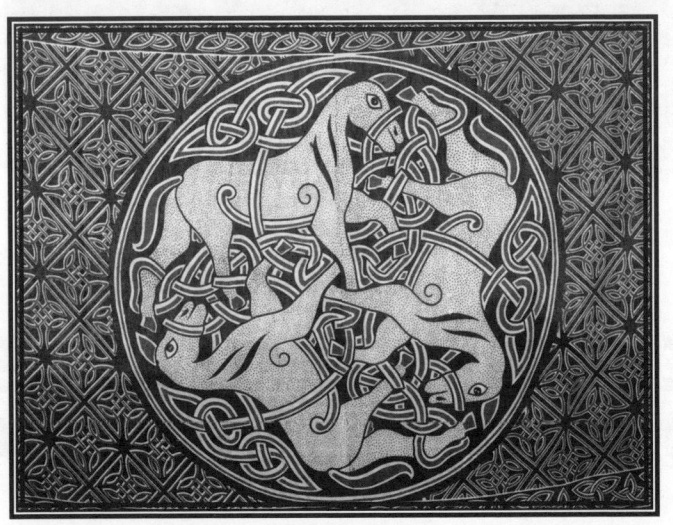

Ornamento celta de três cavalos, símbolo antigo da deusa Epona, a deusa celta dos cavalos.

Outros animais eram considerados tão poderosos que podiam estar ligados às imagens de muitos deuses, por exemplo o touro, símbolo importante da fertilidade e da força; na mitologia romana era o touro a representação predominante de Júpiter, mas entre os celtas ele "era" vários deuses. Algo semelhante se pode dizer do javali, símbolo onipresente da ferocidade e da coragem

Javali, admirado pelos celtas por sua bravura e força. As cerdas dorsais eriçadas simbolizam a agressividade do animal. De modo similar, os guerreiros celtas míticos ficavam com o cabelo espetado durante as batalhas.
NORTON-TAYLOR, Duncan. *The Celts*. Time Life Books, 1980. p. 99.

As religiões dos celtas, tal como a maioria das religiões e mitologias posteriores à última glaciação, são o resultado de culturas mistas, em que se une o antiquíssimo (centenas de milhares de anos) culto dos animais por parte dos caçadores — com vários tipos de totemismo — aos cultos agrícolas e matriarcais nascidos há cerca de dez mil anos. A esses tipos religiosos há ainda que acrescentar os remanescentes dos mais antigos cultos dos coletores — que comiam frutos, raízes e pequenos animais — e, em alguns casos, as religiões dos povos pastores nômades. Mas basta ter a primeira e principal "conjugação", entre caçadores e agricultores para se perceber com clareza a dupla veneração celta por Cernuno.

Reprodução de um altar a Nehalennia encontrado em Domburg, Walcheren. A deusa Nehalennia está em pé com uma cesta de frutas na mão e um cachorro, seu atributo, ao seu lado.

O "CASO" DE CERNUNO

O animal mais conhecido, e visto em imagens de livros, é o veado ou cervo de Cernuno, representado pela bela figura dele que está no caldeirão de Gundestrup. Este caldeirão de prata dourada foi encontrado na Dinamarca, e talvez tenha sido fabricado no século I AEC (a data pode variar, contudo, entre 200 AEC e 300 EC) pelos trácios dos Balcãs (hoje Bulgária), que eram conhecidos como os melhores metalúrgicos da Antiguidade. Não se sabe nem o porquê da origem, nem o porquê do destino, pois nem um nem outro eram regiões de povoamento celta, mas as imagens são indiscutivelmente celtas.

O deus celta Cernuno, ilustrado a partir de uma escultura franco-romana descoberta nas fundações da catedral de Notre Dame, Paris.

O que chama a atenção — e não será, talvez, coincidência — é que era tal a importância de Cernuno e do símbolo do cervo que hoje ele pode ser encontrado em todas as estradas do mundo como sinal de trânsito para advertência da presença de animais selvagens, mesmo nas regiões em que não há cervos nem veados. Seria preciso saber quem inventou esse sinal de trânsito, e quais as razões, mas a realidade é que, desse modo, mesmo que a maior parte das pessoas não o conheça, Cernuno continua presente nas nossas vidas.

Há motivos para isso: ele era um dos principais deuses da fertilidade, associado às florestas e à flora, deus pacífico, mas viril, relacionado com as estações do ano, morte e ressurreição; era uma entidade sobrenatural cujo símbolo era conhecido, desde muito antes dos celtas, pelos caçadores. Devido a suas hastes ramificadas, que parecem árvores, ele representava o espírito da floresta. Os caçadores admiravam sua agilidade, velocidade e seu vigor sexual; havia certo mistério quando no outono as hastes caíam, para renascer na primavera, símbolo natural de morte e ressurreição. Muitos outros deuses celtas, e alguns romanos, tiveram suas imagens associadas à dele, tal como muitos outros animais cujas imagens aparecem junto das de Cernuno; por isso, não admira que muitos cultos celtas o considerassem o *Senhor dos Animais*, e que, nessa condição eminente, ele esteja nas nossas estradas. Há referências ao seu culto num período adiantado da Idade Média, e ele permanece vivo em grupos de neopaganismo.

A demonização de deuses pagãos como o próprio Cernuno — além de outros deuses corníferos de outras culturas como Pan, Hathor etc. — foi o que mais tarde deu concretude ao imaginário do diabo e de Satanás pelos cristãos, fazendo com que tivesse uma estrutura mais acessível e se tornasse mais tangível.[45]

Detalhe do *Caldeirão Gundestrup*, criado entre 200 AEC e 300 EC, mostrando o deus cornífero Cernuno.

[45] VIEIRA, D. F. *Sympathy for the Devil*: Representations of Satan Viewed Through the Polysystem Approach. Universidade Federal do Pampa, Bagé, 2021. p. 22.

DUENDES, FADAS E GNOMOS

Geralmente um panteão, mesmo desorganizado e confuso como o celta, ficaria incompleto sem aquelas entidades a que os ingleses chamam, em termos gerais de *fairy*, e hoje muitos denominam como "elementais". São muito variados, uns mais próximos dos deuses, outros mais próximos dos humanos, e alguns são quase demônios. Gwyn era o último dos deuses de Annwan, o lugar inferior, e também o rei dos duendes. Porém entre os celtas das ilhas, cuja população de seres espirituais menores era numerosa — e nem sempre muito espiritual —, as crenças em muitos duendes e seus parentes eram de origem pré-histórica, e alguns deles eram de origem germânica.

É Gales que, nos dias de hoje, preserva a mais numerosa e diversificada coleção de duendes. Alguns são lindos; outros, horríveis; alguns amáveis, outros malévolos. Há as gentis donzelas dos lagos e riachos chamadas *Gwragedd Annwan*, e as ferozes e cruéis fadas das montanhas conhecidas como *Gwyllion*. Há os espíritos domésticos chamados *Bwbachod*, como os "brownies" escoceses e ingleses; os *Coblynau*, os gnomos das minas (chamados "Knockers" na Cornualha); e os *Ellyllon*, ou elfos, dos quais os *pwccas* constituem um ramo. No Norte da Inglaterra, os espíritos pertencem mais totalmente ao tipo mais baixo. Os *bogles, brownies, killmoulis, redcaps* e seus assemelhados parecem ter pouca afinidade com as entidades mais elevadas, de aparência ariana. O *bwbach* galês também é descrito como pardo e peludo, e o *coblynau* como de rosto preto ou acobreado. Dificilmente nos enganaremos em considerar tais espécies como deuses degradados de uma raça pré-ariana, como os *leprechauns* e *pookas* irlandeses, que nada têm em comum com as lindas e nobres figuras dos *Tuatha Dé Danann*.[46]

---

[46] SQUIRE, Charles. *Mitos e lendas celtas*. Trad. Gilson B. Soares. Rio de Janeiro: Nova Era, 2003. p. 311-12.

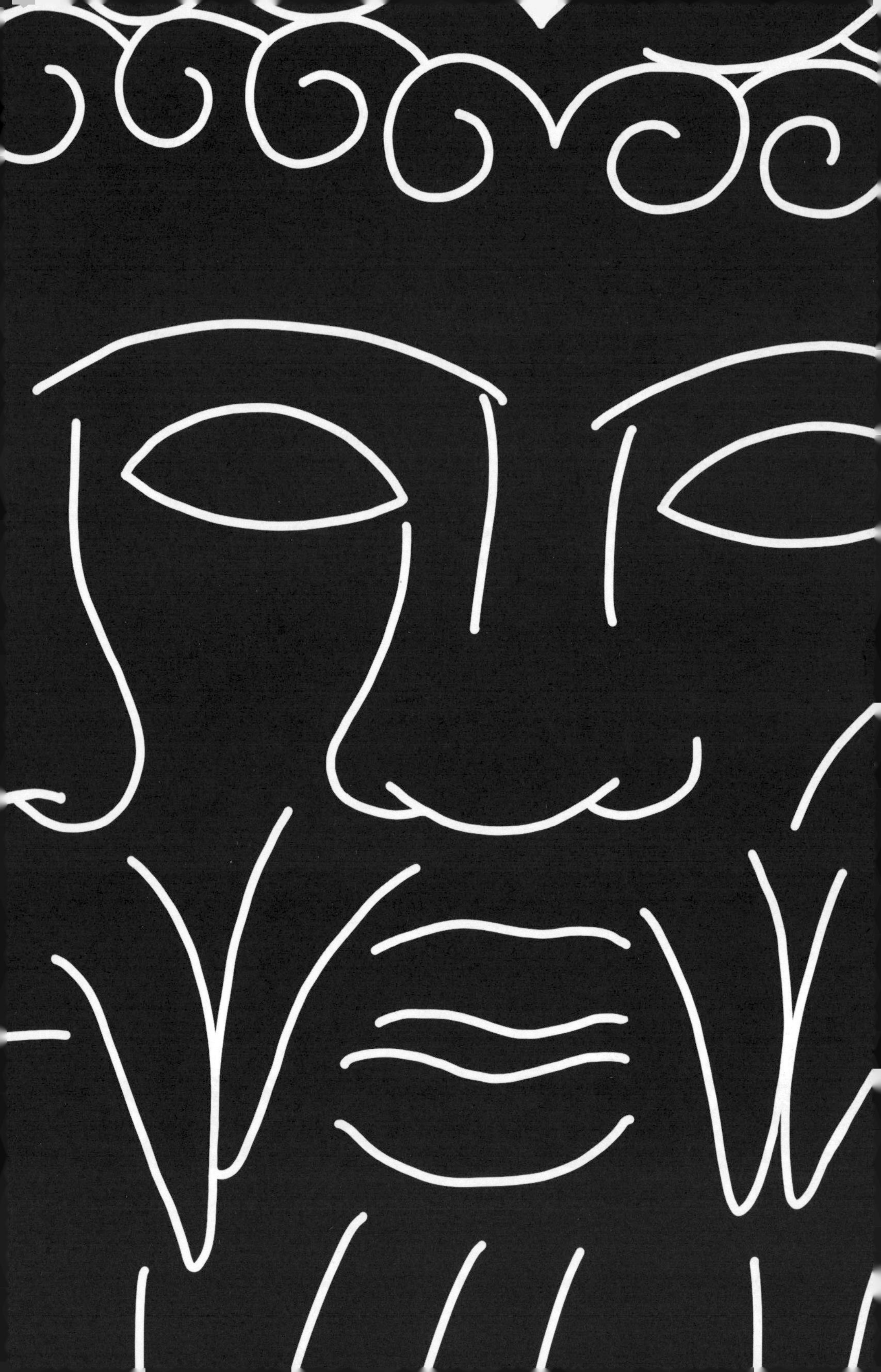

RITUAIS E SANTUÁRIOS

IV

Escultura céltica, provavelmente da cabeça de um druida. Pertencente ao Santuário de Mšecké Žehrovice, na República Tcheca. Museu Nacional de Praga. Foto adaptada de Wikimedia Commons.

OS DRUIDAS

O que hoje em dia se pode dizer sobre os druidas parece oscilar entre dois extremos: ou o quase nada, ou o excessivo. Entre os dois ficam mais hipóteses e interrogações do que conhecimentos válidos. O "quase nada" é constituído pelas poucas informações de escritores gregos e latinos; o "excessivo" fica por conta de todas as idealizações que ingleses e franceses fizeram acerca dos druidas desde o século XVI, à procura de antepassados nobres e dignos que os colocassem a par com a civilização greco-romana. Pelo meio ficam as narrativas dos monges irlandeses que, ao copiarem ou passarem a limpo lendas e contos populares tão depressa, cortaram informações sobre os druidas para não ofender o cristianismo, como destacaram o lado anticristão dos druidas para justificar o seu banimento. Uma coisa, porém, é certa: sem saber quem eram os druidas não se tem acesso à religião dos celtas — ou religiões, já que cada etnia ou grupo tinha suas variantes.

Feitas as devidas comparações entre as diversas fontes escritas, podemos chegar a um resultado prévio, limitado à Gália e ilhas Britânicas, com ressalvas, pois parece que entre elas havia notáveis diferenças: assim, em traços gerais, todos os autores antigos concordam em dizer que os druidas eram intelectuais de alto valor, comparáveis aos brâmanes da Índia, seus conhecimentos mais reservados tinham semelhança com os dos pitagóricos, tinham especial sabedoria acerca da natureza em geral, tanto animal como vegetal, e especial conhecimento de cosmologia e astronomia, e exerciam funções pedagógicas, jurídicas e políticas. Aos olhos dos seus contemporâneos, os druidas eram uma classe sacerdotal sociologicamente bem definida. A estrutura básica da sua organização era a de uma classe coesa, liderada por um druida principal, havendo regras para a sua eleição, o que supõe que, pelo menos na Gália, eles mantinham entre si um estreito relacionamento, que havia algum tipo de normas de comportamento e de continuidade de doutrina que os unia, e que esse relacionamento se fortalecia no período da reunião anual na floresta dos Carnutos, onde realizavam uma reunião privada e exclusiva.

Arquidruida prestes a fazer o sacrifício de um príncipe para salvar o povo de uma praga, mas a rainha se oferece no lugar.

Sua influência era enorme: já vimos que nas batalhas sua magia era superior às dos deuses, e eram eles — e não os reis — que incitavam as tropas ao combate. Por isso, foi tão difícil aos imperadores romanos acabarem com os druidas: três decretos em pouco mais de cinquenta anos, excluindo-os da cidadania romana, proibindo a sua ação, e finalmente, em 54 EC, abolindo a classe dos druidas, não foram suficientes para acabar com eles. Três séculos depois, ainda há referências, como a de Amiano Marcelino (330-391), um autor nascido na Síria romanizada:

Sobre a origem dos celtas dizem os druidas que seu povo era constituído em parte pelos indígenas locais, aos quais se juntaram outros vindos de ilhas distantes, uns que viviam além do Reno e foram expulsos por guerras constantes e outros que chegaram trazidos pelas tempestades do mar. Com os avanços da civilização este povo começou a ter gosto pelos estudos sérios, que foram desenvolvidos por bardos, adivinhos e druidas. Os bardos cantavam os feitos dos seus heróis em versos épicos, acompanhados pelas melodias da lira; os adivinhos voltavam a sua atenção para os céus e se esforçavam por explicar os mistérios da natureza; enquanto os druidas, que tinham inteligência superior, formavam fraternidades ao modo recomendado por Pitágoras, pairavam acima das preocupações humanas, as quais desprezavam, e investigavam matérias escondidas e profundas, proclamando a imortalidade da alma. (Amiano Marcelino, Res Gestae, 15, 9).

Assim se explica a frase de Diodoro Sículo (século I AEC): "Os druidas mantêm todo o povo submetido a eles, porque o povo crê que eles sabem a língua dos deuses, e, por isso, se tornaram indispensáveis para manter o bom relacionamento entre os homens e os deuses, e com isso a ordem do mundo".[47]

Rituais sacrificiais feitos pelos
antigos druidas britânicos.

---

[47] LUPI, J. Os Druidas. *Brathair*, 2004, v. 4, 70-79. Resumido e adaptado.

OS DRUIDAS GAULESES

No livro VI do seu *Comentário*, César descreveu com algum pormenor a religião dos gauleses. Nem tudo o que ele disse está correto, mas como é a mais antiga narrativa sobre os celtas da Gália, vale a pena transcrever:

> Em toda a Gália há apenas duas classes sociais que se distinguem e têm alguma importância: os druidas e os cavaleiros. Na Gália os do povo não contam para nada, são como escravos. Por si mesmos não se atrevem a nada e não tomam nenhuma deliberação. Esmagados por dívidas, pelo peso dos impostos, ou pelos vexames que os poderosos lhes impõem, a maior parte se colocou a serviço dos nobres que sobre eles têm os direitos.
>
> Os druidas se ocupam do que diz respeito à religião, fazem sacrifícios públicos e em privado, e são os intérpretes dos deuses. Uma multidão de jovens junta-se ao redor dos druidas para se instruir, e os rodeiam de respeito. São os druidas que decidem todas as questões públicas e privadas, são os druidas que se pronunciam quando há crime, assassinato, disputa de herança ou discussão de extremas de terras. Eles julgam também a atribuição de penas e de prêmios. Se alguém, seja de caráter público ou privado, não se submete às decisões dos druidas, estes lhes proíbem de participar dos sacrifícios (César VI 13), o que para eles é castigo gravíssimo (equivalente a excomunhão). Os que foram atingidos por esse interdito passam a ser considerados ateus e sacrílegos, e todos os outros fogem deles, e ninguém fala com eles, a fim de que a sua companhia os prejudique. Se pedem justiça, não a conseguem, e não são admitidos a nenhum posto social respeitável.
>
> Todos os druidas estão sob a autoridade suprema de um deles. Quando este morre, sucede-lhe algum dos outros que seja considerado da mesma dignidade. Mas se há vários com direitos iguais, a decisão é pelo voto dos druidas, e às vezes a decisão vai a vias de fato, com as armas na mão. Numa data prevista, reúnem-se num local sagrado na terra dos Carnutos, que fica no meio da Gália. Ali concorre de toda a parte quem tem litígios a resolver. Os druidas decidem e todos os outros obedecem. Dizem que a sua doutrina tem origem na Bretanha (Grã-Bretanha) e que de lá foi levada para a Gália, por isso até hoje é na Bretanha que vão estudar aqueles que querem se aprofundar na doutrina dos druidas (V, 13).

Não é próprio dos druidas ir à guerra, nem pagam tributos como os outros. São isentos do serviço militar e de todos os encargos. Atraídos por tantos benefícios, muitos vão por sua vontade aprender com eles, embora haja alguns que são mandados pelos pais ou pela família. Diz-se que o aprendizado inclui um grande número de versos e não são poucos os que ficam nesta instrução durante vinte anos. Não acham conveniente que estas coisas sejam escritas, apesar de que sabem usar a escrita grega, tanto em atos públicos como particulares. Parece-me que a razão deste procedimento é a seguinte: para não divulgar a doutrina deles, pois temem que os seus discípulos, tendo tudo por escrito, sejam menos cuidadosos com os exercícios de memória. De fato, quando alguém tem o recurso de uma fonte escrita, que pode ler, desleixa o cultivo da memória. Acontece geralmente que, confiando nas letras, deixem de lado o aprender de cor e o uso da memória.

O mais importante para os druidas é ensinar que os deuses não morrem, mas que depois da morte transitam para outros corpos. Assim, creem eles, desprezando a morte, exaltam a coragem e incitam às virtudes. No que ensinam aos jovens também há inúmeras coisas referentes aos astros e seus movimentos, sobre a grandeza do universo e da terra, da natureza dos seres, da imortalidade dos deuses e dos seus poderes. (César VI, 15)

DOUTRINA DOS DRUIDAS ACERCA DA ALMA

As informações sobre a doutrina dos druidas acerca da alma são contraditórias: se nas sepulturas os cadáveres, ou suas cinzas, eram acompanhados de utensílios para que lhes servissem na outra vida; pois quem leva objetos não espera encarnar noutro corpo, mas permanecer em algum lugar do outro mundo. Alguns autores, como Aristóteles (nas *Éticas*), Arriano (*Anábase*) e Horácio (*Odes*) confirmam que os celtas não temem a morte, e outros justificam: é que eles acreditam que a alma é imortal. Assim o diz Jâmblico, filósofo neoplatônico: "Os gauleses ensinam aos seus filhos que a alma daqueles que morrem não é destruída" e Estrabão diz de modo semelhante: "Os druidas proclamam a imortalidade da alma e do mundo". Estas opiniões, atestadas ainda por outros autores, podem dividir-se em duas: ou as almas vão para outro mundo e lá vivem, ou elas retornam a este mundo em outros corpos. Essa opinião parece ser também de outros intérpretes contemporâneos, como Júlio César: "O ensinamento principal dos druidas é que a alma não perece, mas, depois da morte, passa de um corpo para outro" (*Guerra da Gália*). Diodoro Sículo é da mesma opinião: "Entre eles prevalece o ensinamento de Pitágoras, segundo o qual é uma realidade que as almas dos homens são imortais, e que, depois de certo número de anos cada alma volta à vida entrando noutro corpo".

Apesar das diferenças podemos tirar várias conclusões deste breve esboço: o primeiro é que os druidas despertavam a atenção e admiração dos intelectuais romanos e gregos, que ficavam atentos às doutrinas deles e procuravam conhecê-las. O segundo é que provavelmente ou os gregos e os romanos entenderam mal a doutrina que ouviram, ou havia várias doutrinas conforme os lugares e seus druidas. Em terceiro lugar, e mais evidente, é que os druidas e os celtas, pelo menos os mais conhecidos pelos gregos e romanos, acreditavam em outra vida, depois da morte do corpo, e na imortalidade da alma, fosse no mesmo corpo ou noutro. Mais discutível é se essas crenças incluíam na outra vida a felicidade ou o castigo.

O MUNDO ALÉM DO TERRESTRE

O "outro mundo" dos celtas irlandeses era concebido como um lugar de felicidade, livre de preocupações e doenças, sem velhice nem coisas feias: a cena é dominada pela abundância, a magia, a música e o canto dos pássaros. Mas não era só isso, pois havia outras imagens, conforme a imaginação dos vivos: os heróis podiam continuar combatendo, os visitantes mortais podiam introduzir eventos desagradáveis, e havia um lugar sombrio, presidido pelo deus Donn. Esses habitantes das sombras é que eram temidos no festival de Samhain (1º de novembro) quando as barreiras entre o mundo natural e o sobrenatural se quebravam e os espíritos dos mortos vagueavam à vontade entre os vivos.[48]

Mas, como em todas as sociedades bem conhecidas — como a egípcia antiga —, os modos de sepultamento variavam com a região, com a época e sobretudo com a classe social, o que implicava variações na concepção da vida após a morte terrestre. Entre os celtas, poucas pessoas receberam sepulturas formais em condições rituais apropriadas, e só essas teriam direito a uma vida além-túmulo agradável e feliz. Mas, é tal como o dito: *Omne ignotum pro magnifico*.[49] (Tacito, *Agrícola*, 30, 13).

A maioria dos autores inclina-se a dizer que para os celtas não havia "inferno", só "paraíso". Miranda Green, autoridade reconhecida em matéria de religião celta, parece ser dessa opinião, mas não exclui o mundo das sombras e os seres *desagradáveis* de quem se deve ter medo.[50] Há quem diga (Jean Markale) que nasceu assim a ideia de purgatório (castigo temporário).[51]

CULTOS, FESTIVAIS E RITUAIS CÓSMICOS

Qualquer que possa ter sido o significado exato do culto celta, parece não haver dúvida de que se centrava em torno dos quatro grandes dias do ano que narram o despontar, o progresso e o declínio do sol e, portanto, dos frutos da terra.

---

[48] GREEN, M. *The Gods of the Celts*. Godalming: Bramley Books, 1986. p. 122.
[49] Tudo o que não se conhece é suposto ser bom.
[50] GREEN, M. op. cit. p. 39.
[51] Cf. a referência à obra de Jean Markale na bibliografia deste livro.

Estes eram:

> **Beltaine**, que caía no 1º de maio, e marcava o início do pastoreio.
>
> **Dia 24 de junho**, marcando o triunfo do brilho do Sol e da vegetação.
>
> **O Banquete de Lugh, Lugnasad**, marcava o tempo das colheitas, quando, em agosto, o ponto crucial do curso do Sol tinha sido alcançado.
>
> **Samhain**, em 1º de novembro, associado à vida do gado e à escolha dos animais que deviam ser sacrificados, ou reservados à procriação, quando o Sol dá adeus ao poder e cai de novo por meio ano sob o domínio das forças malignas do inverno e das trevas. Desses grandes períodos solares, o primeiro e o último eram, naturalmente, os mais importantes.

Toda a mitologia celta parece revolver-se sobre eles, como se sobre pivôs. Foi no dia de Beltaine que os deuses gaélicos, os Tuatha Dé Danann, e depois deles os homens gaélicos, puseram os pés pela primeira vez no solo irlandês. Foi no dia de Samhain que os Fomorianos oprimiram o povo de Nemed com seu terrível imposto; e foi de novo no Samhain que uma raça posterior de deuses da luz e da vida derrotaram finalmente aqueles demônios na Batalha de Moytura.[52]

Devemos ter em conta que as datas das estações do ano no hemisfério Sul são inversas às do hemisfério Norte aqui descritas; por exemplo: Samhain, que corresponde aos Dias dos Fiéis Defuntos e de Todos os Santos, não é o início do inverno, como é no Norte, mas para nós é o início do verão.

Os rituais dos celtas eram geralmente realizados ao ar livre, e, quando havia construções religiosas, eram simples: no máximo uma grande cabana, que podia servir para outras finalidades além das religiosas. Às vezes

---

[52] SQUIRE, Charles. *Mitos e lendas celtas*. Trad. Gilson B. Soares. Rio de Janeiro: Nova Era, 2003. p. 321-22.

bastava uma pedra, um poço, uma caverna ou uma árvore para demarcar um local de culto.[53]

O termo mais comum para designar lugar de culto sagrado é *nemeton*, semelhante em várias línguas celtas, e quase sempre se refere a um bosque, uma clareira na floresta, ou uma árvore — especialmente carvalho.

HAVRÁNOK: O SANTUÁRIO CELTA DA ESLOVÁQUIA

Na região oriental da Eslováquia, a cerca de 120 km da fronteira com a Ucrânia, ou seja: nos limites da Europa Central, ergue-se um dos maiores conjuntos fortificados da Europa: o castelo de Spis (Spich) ou Spisskýhrad.

---

[53] GREEN, M. op. cit. Capítulo 1.

Apesar de bastante destruído, em ruínas, o castelo, com suas torres e múltiplas muralhas, ainda evidencia imponência, dominando do alto do morro uma vasta região ondulada, em parte plana. O morro foi ocupado e fortificado desde o período neolítico por sucessivas levas de povos, mas a partir do século IV AEC serviu de fortaleza aos cotini — ou gotini — uma *tribo* celta.

O historiador romano Tácito, na sua obra *Germania* (item 43), em 98 EC, diz a respeito deles que os cotini conviviam com seus vizinhos suevos, mas se distinguiam deles por terem um idioma *gálico*, isto é, celta. De todo modo, às vezes eram confundidos com seus vizinhos, a quem pagavam tributo. A oeste dos cotini, onde é hoje a República Tcheca (Chékia), vivia outro grupo celta, os boios — aos quais Tácito também se refere, bem como aos Helvécios — *em regiões mais afastadas, mas uns e outros povos gauleses*. Tácito lembra que ainda permaneceu no lugar o nome de Boêmia, terra dos boios, embora mudados os habitantes, porque os celtas deslocaram-se para oeste e se uniram aos bávaros, criando um grupo celto-germânico, até hoje bem distinto dos demais alemães.

Mais adiante (42.1) Tácito dá a razão do movimento dos boios: eles foram expulsos da sua terra pelos marcomanos, mais belicosos. Provavelmente os boios e os cotini eram os celtas que se situavam mais a oriente na Europa, mas, como a partir do século VI foram subjugados por levas poderosas e sucessivas de eslavos, foram esquecidos, e só recentemente se começou a estudá-los. Os boios e os cotini erigiram fortificações não só em Spis, mas em outras regiões da Europa Centro-Oriental, principalmente na região de Bratislava (hoje capital da Eslováquia) e na região de Liptov, no norte do país. É lá que se encontra o parque arqueológico de Havránok, reconstituição completa de uma aldeia celta, que inclui o mais importante lugar de culto, ou santuário, dos cotini. Lá os druidas praticavam seus rituais.

O santuário foi construído no século I AEC e compreendia uma alta coluna de madeira (talvez um totem, ou uma estátua); um poço onde foram encontrados ossos humanos, provavelmente de vítimas sacrificadas em rituais de oferendas para renovação da natureza. Foram encontradas ainda pequenas colunas, junto das quais havia algumas peças, como joias, produtos agrícolas, e animais que foram enterrados com elas. O conjunto da aldeia reconstruída funciona como um grande museu ao ar livre, e, no período das visitas de turistas, lá são praticadas diversas atividades de revitalização da cultura celta, entre elas cerimônias religiosas reconstituídas e adaptadas.

O JAVALI DE ENDOVÉLICO E A PORCA DE MURÇA

A presença do javali e da palma numa ara votiva a Endovélico (deus lusitano da cura, do submundo e da vida após a morte) reflete a dualidade funcional do deus: aquele que conduz ao submundo (javali) e o traz para o supramundo (palma e pomba).

O javali, em todas as tradições, é o portador da calamidade transformativa. Ele instala na vida de um deus uma situação de crise, morte, descida ao submundo e a promessa de um renascimento. Tornou-se, por isso, primeiro um animal sagrado e inviolável, encarnação dos deuses que eram sacrificados por sacerdotes vestidos com pele de javali, e mais tarde um animal impuro e tabu, que sob a forma do porco era interdito comer. Nos povos celtas o javali alcançou um grande nível de consideração, aparecendo esculpido nos berrões (leitões) de granito por várias regiões do Norte de Portugal e das Gálias, sendo

o mais conhecido a famosa Porca de Murça (distrito de Vila Real, Trás-os-
-Montes, Portugal). Assim, nos povos indo-europeus ele permaneceu como
símbolo do Deus Sacrificial e do Submundo.[54]

A *Porca de Murça* é uma escultura tosca de um javali ou porco (aparentemente tem até testículos) que foi encontrada na aldeia de Murça, distrito de Vila Real, Trás-os-Montes, Portugal. De acordo com a lenda, a estátua tanto pode ser de javali como de porco, pois, segundo consta, a região era assolada, no século VIII, por grande quantidade de ursos e javalis. A ação dos senhores locais expulsou os animais selvagens para longe, mas uma enorme ursa ficou. Feroz e corpulenta, a ursa era o terror do povo, até que em 757 o Senhor de Murça a matou, e em sua honra o povo mandou fazer a estátua do animal. A Porca, não é certamente uma ursa, mas pode ser um javali; contudo nada indica que seja resíduo de um culto a um deus representado por um javali.

Porca de Murça, monumento megalítico celta,
Idade do Ferro, Portugal.

[54] LASCARIZ, G. *Deuses e rituais iniciáticos da Antiga Lusitânia*. 2. ed. Sintra: Zéfiro, 2015. p. 117.

O CRISTIANISMO CELTA

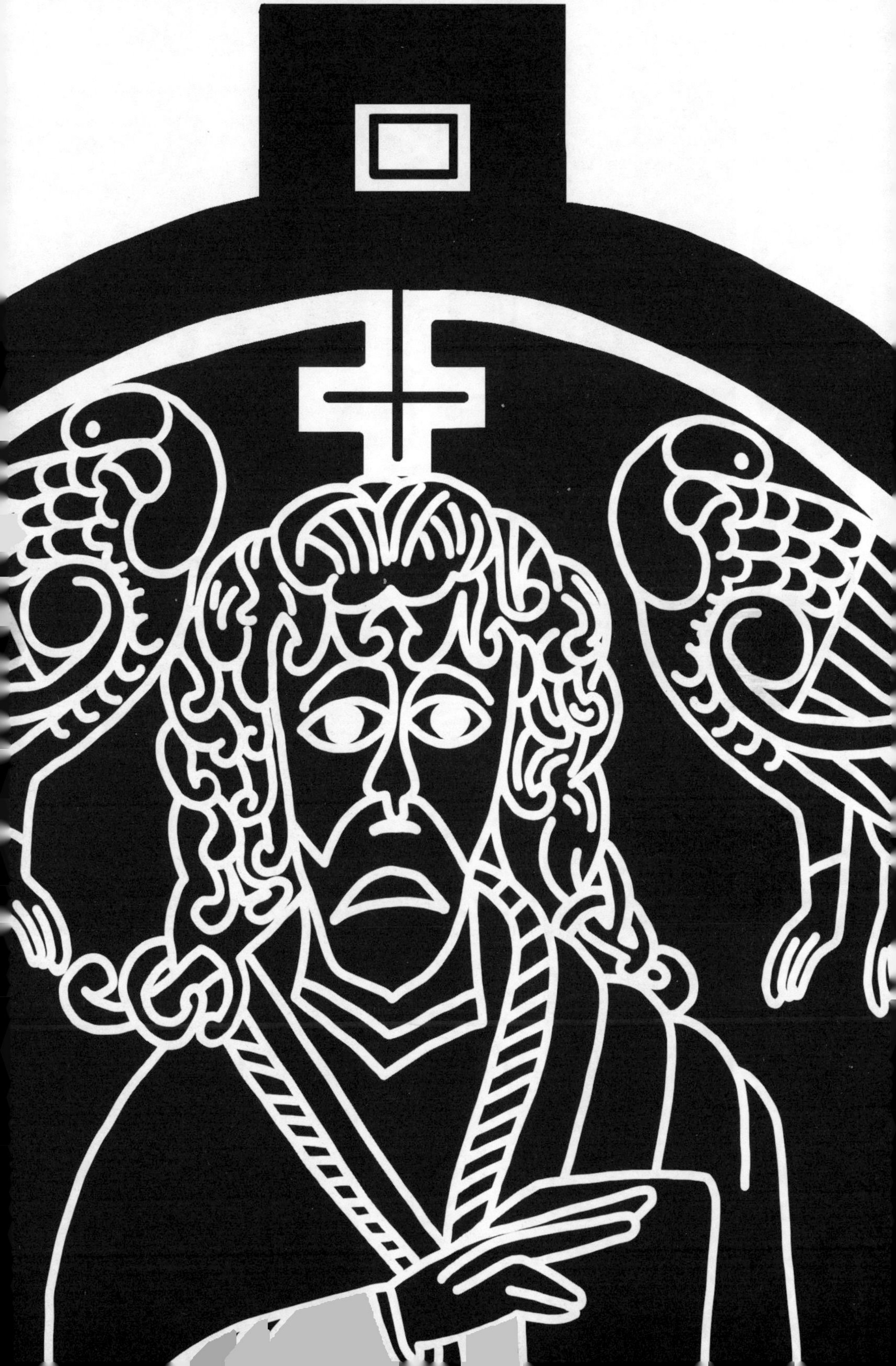

Cruz celta. Wikimedia Commons,

SÃO PATRÍCIO

Todos os anos, no dia 17 de março, em qualquer lugar do mundo onde houver um grupo ou colônia de irlandeses, São Patrício será festejado com muita religiosidade e animação. Patrício identifica-se não só com o catolicismo da ilha, mas com a própria nação. E, no entanto, ele não foi o primeiro missionário a levar o cristianismo para a Irlanda, ele foi — e ainda é — o mais conhecido e venerado.

> Patrício nasceu na Bretanha, provavelmente no País de Gales, por volta de 390. Sua família era possuidora de bens, e ligada à Igreja, pois seu avô era presbítero, e seu pai, diácono. Aos dezesseis anos, foi preso por piratas irlandeses e vendido como escravo; na Irlanda viveu seis anos trabalhando como pastor de ovelhas. De novo foi vendido e trabalhou como escravo cuidando de porcos, por isso seu sobrenome é *succet*, isto é, porqueiro. Voltou para casa, e em 432 decidiu retornar à Irlanda com propósitos de evangelizar o povo pagão. O método que ele usou para pregar aos irlandeses fez com que não houvesse sangue nem mártires. Esse método envolvia a pregação diretamente aos reis e a construção de mosteiros, tantos que a Irlanda ficou conhecida como "Ilha dos Mosteiros".[55]

Os mosteiros, para onde se recolheram muitos convertidos que, com os druidas, tinham tido formação intelectual longa e variada, teve como resultado que, ao aprenderem o alfabeto latino, e a doutrina cristã, os monges se dedicaram a escrever tudo o que lhes parecia merecedor de ser preservado, e muitos textos foram redigidos na Irlanda, o que permite que esta nação seja mais estudada e conhecida do que outras, tanto no que se refere à sua vida cristã como às tradições celtas anteriores. O próprio Patrício redigiu

---

[55] SANTOS, D. V. C. Quem foi São Patrício. Uma reflexão sobre algumas representações acerca deste Santo. *Brathair*, 5.1.(2005). p. 128-40.

diversos textos e cartas, em parte autobiográficos, que ajudam a entender sua missão e vida.

> *Eu, Patrício, um pecador, o mais rústico e o menor entre todos os fiéis, profundamente desprezível para muitos, tive por pai o diácono Calpurnius, filho do falecido Potitus, um presbítero que foi morador de um vilarejo chamado Bannavem Taverniae. Ele tinha uma pequena casa de campo bem próxima, onde eu fui capturado.*[56]

Conta o seu cativeiro na Irlanda, e prossegue:

> *E lá o Senhor abriu o entendimento do meu coração de incredulidade, a fim de que, mesmo muito tarde, me recordasse dos meus pecados e me convertesse de todo o coração ao Senhor meu Deus.*

E explica: tanta misericórdia que Deus teve com ele só pode ser retribuída dedicando-se a pregar a palavra e exaltar as maravilhas de Deus diante de todas as nações.

No Brasil, o culto a São Patrício começou no final do século XVIII, quando um nobre irlandês, Lancelot Belfort, construiu uma igreja em nome do santo. Lancelot, ou Lourenço, como ficou conhecido no Brasil, nasceu em 1708, em Dublin, de família abastada. Devido às perseguições aos católicos e às expropriações de terras, fugiu para Lisboa, e daí para o Maranhão, aonde chegou em 1736. Empreendedor, subiu o rio Itapecuru, e nas suas margens construiu um engenho e uma igreja, que dedicou a São Patrício. Entretanto, casou-se com Isabel de Andrade Ewerton, filha do norte-americano Guilherme Ewerton. A igreja de São Patrício já não existe, mas o lugar conserva o nome de São Patrício de Kilrue (Kelrue, ou Kylrue), o castelo da família Belfort na Irlanda. Deixou descendência que ainda hoje honra seu nome no Maranhão. Lancelot morreu em Lisboa em 1777. Entre os locais de culto mais antigo a São Patrício no Brasil está a Paróquia de São Patrício em Itaqui, diocese de Uruguaiana, RS.

Atribui-se a popularidade do trevo durante o dia de São Patrício ao fato de que o santo o usou como material didático para ensinar a respeito da Santíssima Trindade. Os celtas já tinham a crença de que cada folha do trevo tinha algum significado, por isso, São Patrício aproveitou o ensejo para pregar a doutrina cristã a partir dessas convicções.

---

[56] SANTOS, D. V. C. Os Livros das Cartas do Bispo São Patrício. *Brathair*, 7.1 (2007). p. 107-136

Detalhe de um vitral de São Patrício. Saint Patrick Catholic Church, Junction City, Ohio.

OS GÁLATAS CRISTÃOS ERAM CELTAS?

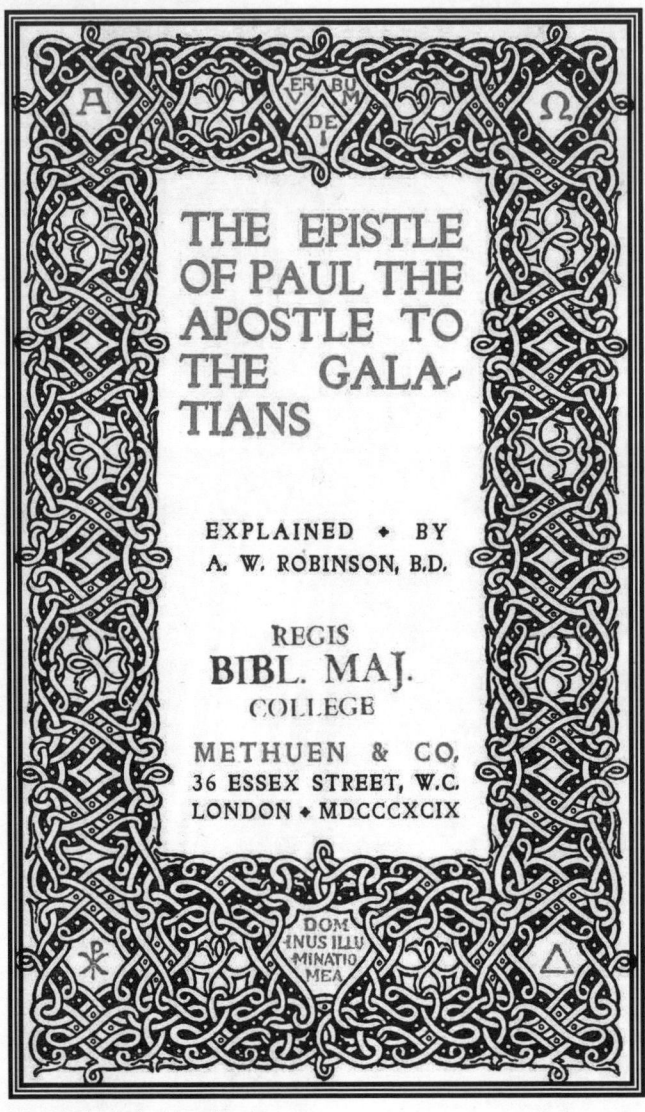

Epístola de Paulo aos Gálatas.
Arthur William Robinson, 1856-1928.

O apóstolo Paulo de Tarso (10-64) percorreu várias regiões do mundo helenístico, e onde parava, criava uma comunidade de cristãos. Quando descansava entre uma e outra viagem, escrevia cartas aos cristãos que tinha convertido, para confirmá-los na fé ou corrigi-los em algum erro de doutrina. Uma dessas cartas, ou epístolas, foi escrita por volta do ano 50 EC e dirigida aos gálatas, ou seja, celtas (em grego) da Ásia Menor (hoje Turquia). Se esses gálatas fossem cristãos, seriam provavelmente os primeiros cristãos celtas. Será correto? A pergunta inicial é esta: como é que os celtas da Europa foram parar no meio da Ásia Menor?

O itinerário tem um começo muito conhecido. Em algum dia do ano 335 AEC, Alexandre, o Grande, filho do rei Felipe da Macedônia, chefiava um pequeno exército nas montanhas do leste da Península dos Balcãs, hoje Bulgária. Seu pai tinha ido a oeste, ao Epiro (hoje Albânia), tratar de assuntos com seus aliados, e encarregou o filho de verificar o que é que certos bárbaros andavam fazendo por aquelas paragens. Os tais bárbaros eram celtas (talvez belgas) que tinham vindo do Norte da Europa e se fixado nas margens do Danúbio, em terras dos trácios. Confiante na sua juventude de vinte e um anos, e no poder do pai, Alexandre, acompanhado do amigo Ptolomeu, procurou os celtas e, quando os encontrou, perguntou o que é que tinham ido fazer nas fronteiras da Macedônia. Os gálatas, como os gregos e macedônios chamavam os celtas, olharam o rapaz novo com altivez, e disseram-lhe, provavelmente pensando: "se achas que temos medo de ti..." Mas a frase que ficou nas memórias de Ptolomeu, mesmo sendo faraó do Egito, foi esta, que consta em quase todas as aventuras de Astérix: *A única coisa de que temos medo é de que o céu nos caia sobre as nossas cabeças.*[57] O livro de Ptolomeu se perdeu, mas alguns historiadores gregos o leram, relataram a história, e fizeram o seguinte comentário: essa frase provavelmente era uma fórmula de juramento que os celtas faziam após um acordo ou tratado, no estilo: "se eu não cumprir este tratado, que o céu caia sobre a minha cabeça".[58] Pode ser, porque enquanto Alexandre estava vivo, os celtas não entraram nas terras da Macedônia. Além disso, há um similar deste juramento na literatura mais antiga da Irlanda: o *Tain Bo Cuailnge*. Quando os homens do Ulster são repreendidos por terem deixado Cuchulain sozinho na batalha, o rei Conchobar respondeu:

> *Esse grito é um pouco forte demais, porque o céu está acima de nós, a terra debaixo de nós, e o mar em toda a nossa volta, mas, depois da vitória na*

---

[57] Existe uma aventura de Astérix com o título dessa frase, de 2005, mas inventa uma ficção científica em vez de se ater aos dados históricos.

[58] GOSCINY, R. & UDERZO A. *Le Ciel lui tombe sur la tête*. Paris, Albert René, 2005

batalha, e do combate com o adversário, eu vou trazer cada uma das vacas para as baias do seu estábulo e cada mulher para o seu teto e seu lar, a não ser que o céu com toda a sua enxurrada de estrelas caia na face da terra, ou que o chão se abra num terremoto, ou que o mar cheio de peixes e azul suba nas terras.[59]

Os celtas cumpriram o juramento, mas seus descendentes... Cinquenta e seis anos depois, em 279, os celtas já tinham saído das margens do Danúbio, tinham atacado o santuário de Delfos, na Grécia, e foram acampar à sombra das muralhas de Bizâncio, cidade rica no mar Negro — que mais tarde foi Constantinopla, capital do Império Romano do Oriente. Assustados, os bizantinos ofereceram tributo aos celtas (gálatas, belgas?) e deram-lhes algumas terras junto ao estuário de rio chamado Corno de Ouro, em grego *Xrisokeras*. Bizâncio mudou de nome duas vezes, hoje é Istambul, mas o bairro onde os celtas se estabeleceram continua sendo chamado Gálata, e conserva várias lembranças notáveis da presença dos celtas:

I - A *Ponte Gálata* (destruída por um incêndio, mas reconstruída) une as duas margens do Corno de Ouro na parte mais ao sul, e oficialmente tem o nome de *Yeni Galata Köprüsü*.

II - O *Palácio Galatasaray* fica no cruzamento das avenidas *Istiklal Caddesi* e *Yeniçarsi*; neste palácio, *saray* em turco, foi onde se instalou a representação diplomática britânica no final do século XIX; os funcionários britânicos, que trabalhavam no Galatasaray, criaram a primeira equipe de futebol da Turquia, que com esse nome celta existe até hoje.

III - Entre a ponte e o palácio fica a *Torre Gálata*, ou *Yuksekkal* Dirim, que também foi reconstruída várias vezes, mas sem mudar de nome.

Todas estas indicações constam nos mapas e nos guias de turismo.[60]

Mas naquele tempo, muito antes do futebol, a região da Ásia chamada Ponto, em frente a Bizâncio, estava em guerra. Um novo rei, Nicomedes (rei de 280 a 250 AEC), queria organizar o país, com o nome de Bitínia, e enfrentava resistência e oposição. Nicomedes convidou então os gálatas de Bizâncio para auxiliá-lo, e os belicosos celtas atravessaram o Estreito do Bósforo e entraram na Ásia. E essa foi a primeira e única vez que os celtas viraram as costas

---

[59] MAC CANA, P. *Celtic Mythology*. Nova Iorque: Barnes & Noble, 1996. p. 29-30.
[60] JEUGE-MAYNART, I. (dir.). *Turquie*. Paris, Hachette, Les Guides Bleus, 1996.

à Europa e se fixaram na Ásia. Nicomedes conseguiu, com o auxílio dos gálatas, se confirmar no trono da Bitínia, mas toda a região se arrependeu de ter convidado aqueles guerreiros, porque depois de auxiliarem Nicomedes, eles se meteram na política regional e durante mais de dois séculos não descansaram entre guerras e conflitos, até que, derrotados diversas vezes por generais helenísticos e depois pelos romanos, se submeteram, não sem deixar a fama de o *terror e a maldição da Ásia*. Porém, é preciso ter em conta que quem descreveu essas atrocidades dos gálatas foram os generais e historiadores romanos, que, por toda a parte, por exemplo na Península Ibérica, lideraram carnificinas, traições, genocídios e massacres, e atribuíam essas crueldades aos povos que venciam. Os gálatas da Ásia chegaram a constituir um reino unificado, cujo último rei foi Amintas; ele morreu em 25 AEC, e depois disso pouco mais se ouviu falar dos celtas asiáticos.

Mas queríamos saber se os gálatas descritos por São Paulo eram ou não celtas, porque no período romano a província da Galácia abrangia muito mais povos e terras do que o território onde os gálatas "sossegaram", ou seja, em redor de Ancira, hoje Ankara, capital da Turquia. Consultando os itinerários do Apóstolo Paulo, e os testemunhos posteriores, podemos ter como certo que, sim, os gálatas a quem se dirigiu a epístola paulina eram os descendentes dos celtas que atravessaram o Bósforo e se estabeleceram no centro da Península da Anatólia, ou Ásia Menor. Vejamos então o que o Apóstolo diz a respeito deles na sua carta (Gálatas 5, 13-15):

> *Ó gálatas sem juízo*, diz Paulo, *não se mordam uns aos outros, parem de lutar uns contra os outros, não se destruam entre irmãos, deixem-se de bebedeiras e comezainas, larguem a feitiçaria e a idolatria.*

Parece que estamos lendo algumas descrições da vida dos gauleses, ou dos escotos, contudo, uma descrição da cultura celta da Anatólia antes de sua incorporação ao Império Romano ainda está por fazer, e a provável influência celta na cultura popular da Turquia Central é pouco conhecida. Do período pagão há indícios de sacrifícios humanos na região dos gálatas, o que era próprio de outros celtas; também sabemos que mantiveram o costume da reunião anual no bosque sagrado, o *nemeton* (ou *drunemeton*), bem como as festas e rituais agrários relacionados com as mudanças das estações do ano. Do período cristão, as poucas informações que há sobre a religião são apenas circunstanciais ou secundárias: São Jerônimo diz que os gálatas são uma tribo de gauleses, de curta inteligência, mas fortes na fé, e que "em nenhum lugar o Amen ressoa tão poderoso, como um trovão espiritual, como quando eles fazem tremer os templos dos ídolos". O mesmo Jerônimo que, quando jovem, estivera em Treveris (hoje Trier, na Alemanha) confirma que os gálatas da Ásia falavam um idioma parecido com o dos gauleses de Treveris. Até hoje alguns comentadores da Epístola aos Gálatas procuram informações sobre essa população celta; assim o fez João Calvino, o reformador protestante do século XVI, que conseguiu reunir muitos dados étnicos e históricos, mas não diz quase nada sobre a religião. Porém o que mais os historiadores e comentadores dizem é que os gálatas eram terreno fértil para todo tipo de heresias, mesmo as mais raras e estranhas: fantasias religiosas com pouco fundamento teológico, porque seus líderes deixavam-se enrolar em armadilhas intelectuais.[61]

OS MONGES IRLANDESES

Por toda a Europa e Ásia, onde os celtas abraçaram o cristianismo, levaram para a nova religião muitas tradições e costumes antigos. Em alguns lugares mais, noutros menos, o cristianismo celta foi peculiar, e diferente das outras formas culturais de vida cristã. Mas onde a marca celta mais se manifestou foi na Irlanda, ou, de forma mais geral, no modo de vida cristão originário da Irlanda, que se difundiu pelas Ilhas Britânicas e pela Europa — o que provocou atritos, debates e conflitos com as autoridades católicas de Roma.

As divergências entre os cristãos celtas e Roma não são superficiais: para além das aparências havia algo de mais fundo. A questão da tonsura,[62] ou a da data da Páscoa são apenas peripécias menores. O verdadeiro problema é que o espírito celta se opunha à mentalidade romana. Os celtas respeitavam

---

[61] LUPI, João. Os gálatas de São Paulo eram celtas? Em LANGER & CAMPOS (org.). *A religiosidade dos celtas e germanos*. São Luís, UFMA, 2009, 9-23. Palestra proferida em São Luís em 5 de outubro de 2010.

[62] A tonsura é uma cerimônia religiosa em que o bispo dá um corte no cabelo do ordinando ao conferir-lhe o primeiro grau de Ordem no clero, chamado também de prima tonsura. Por extensão, o termo também designa o penteado que resulta dessa cerimônia.

o poder do Papa, mas não se sentiam à vontade obedecendo a um poder centralizado e dominante.[63]

O povo comum celta conservou muitas devoções tradicionais que não contradiziam a fé cristã. Mas foram os monges, com a proteção dos seus abades e bispos, que criaram e inovaram práticas que conduziam a um estilo diferente de vida cristã. Porém, à medida que se fortalecia o poder da Igreja na Idade Média, o Papa e seus assessores mostraram-se contrários a essas inovações dos celtas, não admitindo diferenças com relação às práticas romanas. Para Roma, a uniformidade era a norma. Vejamos as raízes da incompatibilidade.

Os celtas nunca constituíram grandes unidades políticas estáveis ou duradouras, e até para combater os romanos tinham dificuldade de se unir e obedecer a um comando unificado. Na religião eles veneravam inúmeros deuses, uns mais poderosos que outros, mas sem constituírem um panteão organizado e sem terem um Deus Pai. Cada grupo ou tribo tinha seus deuses, diferentes dos deuses dos vizinhos. Enfim, na guerra e na paz, na religião e na língua, os celtas recusavam a unificação e o poder central, e mesmo seu chefe local ou seu rei regional tinham poderes restritos. A mentalidade celta era em tudo descentralizada, anárquica, no sentido de limitar a obediência a qualquer poder. Foi assim que entraram para o cristianismo, com um vigor e autonomia de ação, que se constituiu na força mais criadora para a formação da Europa depois da queda do Império Romano no século V. Os monges irlandeses se espalharam pela Europa, que verdadeiramente estava em trevas, desorganizada e inculta, destruída pela decadência dos romanos e pelas devastações dos bárbaros. Os irlandeses, a partir do século VI, atravessaram os mares, e percorreram o Velho Continente, fundaram mosteiros e criaram bibliotecas desde os Pirineus até a Áustria, e, como disse Thomas Cahill, realmente salvaram a Europa de sucumbir à barbárie. Foi num mosteiro de fundação irlandesa, o de Disibodenberg, que estudou Hildegard de Bingen (1098-1179), a *Sibila do Reno*, mística, profetisa, visionária, compositora musical, abadessa, pesquisadora de medicina etc. No local tinha pregado e ensinado o monge irlandês Disibod (619-700), de quem Hildegard escreveu uma biografia; nos mosteiros irlandeses as monjas ou freiras tinham mais oportunidades de estudar do que nos mosteiros comuns.

---

[63] MARKALE, J. *Le Christianisme Celtique et ses survivances populaires*. Paris, Imago, 1983. p. 250.

Hildegard de Bingen recebendo uma visão na presença de seu secretário Volmar e de sua confidente Richardis. Miniatura de um manuscrito c. 1220-1230, mantido na Biblioteca Nacional de Lucques.

Mas, se os monges irlandeses foram tão ativos na educação dos anglo-saxões e dos europeus continentais, por que Roma e os papas não aceitavam seu tipo de cristianismo? Como disse Markale, a maior parte das divergências era de coisas insignificantes, com as quais nem valeria a pena se importar, mas Roma não as tolerava, e muito menos a autonomia das comunidades celtas.

As práticas citadas por Markale, dentre muitas outras, consistiam no seguinte: os monges irlandeses usavam o corte de cabelo (tonsura) à moda dos druidas: raspado de orelha a orelha, crescendo na nuca com uma trança no final. Para as autoridades católicas, a tonsura irlandesa era uma reminiscência de práticas pagãs e, por isso, intolerável, e devia ser substituída pela coroa romana: cabelo raspado no meio da cabeça e uma faixa em toda a volta do crânio. Quanto à data da Páscoa, ela tinha um pouco mais de relevância: os primeiros cristãos celebravam o descanso semanal no sábado, como os judeus, mas logo passaram a festejar a ressureição de Cristo, ao domingo, dia do Senhor (Dominus). Com a liberdade de cultos em 325, a Ressureição impôs-se como festa máxima anual dos cristãos; mas havia problemas no cálculo do dia, porque os judeus seguiam o calendário da Lua, e os romanos obedeciam ao calendário do Sol, e eles não coincidiam na marcação do dia da Páscoa. Era preciso bons astrônomos para fazer esses cálculos, e cada Igreja celebrava a Páscoa em dias diferentes de outras Igrejas. Roma guiava-se pelos astrônomos de Alexandria, que tinham aprendido com os egípcios; e os celtas, que calculavam a data noutro dia, respondiam: os astrônomos do Papa são bons, mas os nossos são melhores — e era verdade. Os druidas estudavam astronomia, e os monges irlandeses aprenderam com eles.

Um dos astrônomos e geógrafos irlandeses mais conhecidos foi Dicuil (c. 760-830), que viveu no Reino dos Francos e lá ensinou; entre 814 e 816, escreveu um tratado de astronomia, em quatro livros, dedicado ao cálculo astronômico matemático. Mas foi o *Tratado de Medida do Orbe Terrestre* (escrito em 825) que lhe trouxe a fama merecida. Roma, porém, impôs o seu cálculo e proibiu a celebração da Páscoa na data dos celtas.[64]

Havia, porém, práticas e costumes mais importantes que os monges irlandeses criaram, sobretudo os que se referiam a bispos e abades, e que afrontavam diretamente a autoridade do Papa. A função de bispo (epíscopo, supervisor da comunidade) é parte do sacramento da ordem, que designa ou ordena os sacerdotes, mas é no nível mais alto, e exige novo ritual: a consagração. Segundo as normas romanas, o presbítero, ou sacerdote, para ser bispo deve ser consagrado por outros três bispos, mas os irlandeses consagravam com um só. Deste modo os bispos irlandeses tinham mais autonomia, "era fácil" criar um novo bispo. Por outro lado, a autoridade de um abade de mosteiro rivalizava com a do bispo, e muitas vezes o abade era o bispo local, o que tornava os monges independentes da hierarquia — e nada disso agradava ao poder centralizador de Roma. A questão se complicava mais ainda quando o mosteiro era duplo, um de homens e outros de mulheres, ou frades e freiras, e havia casos em que o abade era o superior dos dois, e mais: se houvesse uma abadessa, ela poderia ser a superiora dos homens, o que dava a uma mulher um poder impensável na hierarquia romana.

Se os irlandeses tivessem mantido esses costumes na sua terra, talvez as autoridades de Roma nem notassem, mas os monges irlandeses, quando

---

[64] LUPI, J. *A data da Páscoa e o fim das comunidades celtas*. Congresso da Comissão B. de F. Medieval, Fortaleza, 2006.

viram o caos em que estava o cristianismo na Europa, começaram uma longa missão de vários séculos para reconstruir a civilização cristã na Europa Central, e além de fundarem mosteiros e bibliotecas, criaram outra novidade: a dos bispos itinerantes, vagantes, que circulavam por toda a parte pregando e organizando comunidades, e não obedeciam a ninguém. Toda essa liberdade foi benéfica para o cristianismo na Europa, contudo, não agradou a Roma.

Mas até na sua vida particular os monges irlandeses eram peculiares: muito exigentes com o modo de vida, eram excessivamente austeros e frugais, viviam em lugares inóspitos e em casas rudes, nos piores climas das ilhas. As autoridades católicas achavam exagerado, mas suportavam; o que não aceitaram foi o costume de se submeter às tentações: os monges dormiam com moças a seu lado, virgens ou jovens, para resistirem às tentações. Esse costume havia em outras igrejas, até no Oriente, mas Roma achou demais e proibiu.

Houve, porém, uma *invenção* dos monges irlandeses que deu certo: os penitenciais. Como os sacerdotes do continente tinham pouca instrução, quando ouviam as confissões dos fiéis, tinham dificuldade em discernir a gravidade dos pecados e em atribuir uma penitência por cada pecado. Os monges redigiram livros contendo a exposição da gravidade de cada tipo de pecado e a penitência (jejum, oração, esmola etc.) que devia ser atribuída a cada um pelo sacerdote confessor. Esses livros eram chamados de penitenciais e foram muito úteis, até para depois se saber, pelos pecados listados, como eram os costumes em cada região.

O MONGE E O MONSTRO DO LAGO NESS

Entre o Norte da Irlanda e o Sudoeste da Escócia, a distância por mar é de cerca de vinte quilômetros, dependendo do trajeto pelo Canal do Norte. Por isso, o intercâmbio de pessoas, ideias e bens entre as duas regiões sempre foi intenso, desde a pré-história. Quando os irlandeses de Ulster (reino do Norte) criaram o reino de Dalriada, no século VI EC, logo embarcaram em direção à terra dos pictos, onde estabeleceram um prolongamento de Dalriada. Com os irlandeses, os escotos e cristãos, chegaram os monges, mas, cerca de um século antes os pictos já tinham recebido um missionário cristão, São Ninian. Ele chegou pelo Leste e enviou missionários até o extremo Norte, mas o sucesso da missão foi limitado. Mais exitosos em obter conversões foram os monges que entraram pelo Oeste, por Dalriada: cerca de 550 chegaram à ilha de Iona, e lá criaram um mosteiro que até hoje é considerado o berço do cristianismo na Escócia. O mais conhecido desses monges foi Columba (Kolumkile, em gaélico, 521-597). Ele se encontrou com outro missionário bretão, São Mungo (cf. a sessão Harry Potter deste livro), e a ação conjunta deles — partindo de Strathclyde, a região de Glasgow — e de seus auxiliares fixou definitivamente o cristianismo na Escócia. Columba viajou muito, fundou diversos mosteiros, e ficou muito conhecido através da biografia que dele fez Adamnán (624-704), um abade de Iona. Adamnán, na biografia de Columba, descreveu os muitos milagres do santo e também suas viagens, seus prodígios, como expulsar serpentes, entre outros casos. Um deles está no capítulo 28, e é como segue:

> *Como um monstro das águas foi afastado pela força das orações do Santo*
>
> Noutra ocasião, quando o santo homem estava vivendo por alguns dias nas terras dos pictos, teve que atravessar o rio Ness, e quando chegou à margem do rio viu que alguns moradores do local estavam sepultando um pobre homem; de acordo com o que lhe disseram, o que acontecera foi que, pouco tempo antes, esse homem, quando nadava, foi apanhado e mordido com gravidade por um monstro que vivia nas águas. Algumas pessoas foram em socorro dele num barco, e puxaram seu corpo com um gancho, mas já era tarde. Quando isto ouviu, o santo homem não ficou de jeito nenhum desanimado, e disse a um dos seus companheiros para nadar além das pedras e alcançar a outra margem. Quem executou a ordem de Columba foi Lugne Mocumin, que imediatamente tirou a roupa, e, só de túnica, se jogou na água. Mas o monstro estava longe de ter ficado saciado, e apenas tinha despertado o apetite para mais presas; estava deitado no fundo da corrente, e quando sentiu que a água tinha sido agitada acima dele pelo homem que nadava, apareceu de repente, em frente ao homem que nadava na corrente, fazendo um rugido horripilante e com a boca bem aberta. Vendo isso, o santo homem levantou a sua abençoada mão, enquanto todos os outros, tanto irmãos como estranhos, estavam estupefatos de terror. Invocando o nome de Deus, fez no ar o sinal da cruz e, dirigindo-se ao feroz monstro, ordenou: "para por aí e não toques no homem, e volta já para trás". O monstro já estava mesmo em

cima de Lugne, que ainda nadava, e a distância entre os dois era menos do que um arremesso de lança, mas à ordem do santo o monstro pareceu apavorado e fugiu mais depressa do que se o tivessem puxado com cordas. Então os irmãos — vendo que o monstro tinha recuado, e que seu companheiro Lugne voltava para o barco são e salvo — ficaram surpresos e admirados e deram glória a Deus pelo homem abençoado. Até os pagãos bárbaros que estavam presentes tiveram que reconhecer a força do milagre que tinham presenciado e louvaram o Deus dos cristãos.

Essa foi a primeira vez que alguém viu o monstro do Lago Ness (ou Loch Ness) e relatou o que foi visto, mas o livro das *Atas dos santos* diz que Columba e seus monges enfrentaram outros monstros das águas, disso se deduz que na Escócia havia um tipo comum de monstro das águas.[65]

Ilustração inspirada no famoso monstro do Lago Ness, um criptídeo aquático teria sido visto no Lago Ness, nas Terras Altas da Escócia, no Reino Unido.

[65] PENNICK, Nigel. *The Celtic Saints*. Nova Iorque: Sterling, 1997. p. 63.

O Homem Universal. Hildegard of Bingen.
Liber Divinorum Operum, 1172-74.

VI

OS CELTAS HOJE:

REVIVAL, LITERATURA E RECONSTRUÇÃO

May Pole Celebration com garotinhas em um campo de margaridas. Circa 1907.

O REVIVAL CELTA E OUTROS RENASCIMENTOS CULTURAIS CONTEMPORÂNEOS

O *revival* celta foi o renascer de antigas culturas célticas em formas contemporâneas. Esse movimento intelectual foi precedido pelo renascimento medievalista do romantismo no século XIX, iniciado pelos romances de Walter Scott (1771-1832) — destacando-se entre os mais conhecidos *Rob Roy* (1812) e *Ivanhoe* (1819) — com larga repercussão em outros escritores da época, como Alexandre Herculano em Portugal (1810-1877), com os romances *Eurico, o Presbítero*, de 1844, e *O Monge de Cister*, de 1848. O movimento de volta às raízes medievais trouxe consigo, ou veio a par com a recuperação das tradições populares, e estendeu-se a toda a Europa e a muitas artes e letras, como a música — muitos compositores de música erudita do final do século XIX e primeira metade do século XX passaram a incluir temas de músicas populares em suas obras. Pouco depois, essa inspiração das tradições passou ao cinema (como nos filmes sobre os vikings), às danças (formação de grupos de dança folclórica) e mais tarde à religião, com o neopaganismo. A política teve parte importante no movimento, porque a Revolução Francesa e as invasões de Napoleão despertaram as reações nacionalistas. Todas as nações, mesmo as que não eram países independentes, quiseram mostrar suas raízes próprias e diferenças culturais. Em muitos casos, esse despertar cultural contribuiu para reforçar as aspirações à independência política, como na Irlanda. Na esteira do retorno às tradições medievais, veio o retorno à Antiguidade, e foi aí que nasceu o *revival* celta, que não veio sozinho, pois foi acompanhado pelo renascer de outras culturas antigas pré-cristãs, como as dos eslavos (lembre-se *O Pássaro de Fogo*, de Igor Strawinsky),[66] dos bálticos (a tradução do *Kalevala*) e dos germanos (*O anel do Nibelungo*, de Richard Wagner).[67]

Certamente um dos casos mais fortes e mais conhecidos de todos os tipos de revival é o da música celta irlandesa, sem igual entre as outras músicas de reconstrução cultural de outras nações europeias. São milhares os discos (CD) e outras formas de divulgação, e centenas as bandas e compositores. O entusiasmo pela música celta foi tão grande que chegou à América Latina, onde se formaram dezenas de bandas celtas. Mas atualmente se tornou um fenômeno bem complexo, e já não é deste ou daquele país, mas uma manifestação europeia, ou mesmo ocidental, e já não é produto só de bandas, mas foram produzidas muitas óperas rock, das quais uma das primeiras foi *Iztvan a Kiraly* (*O Rei Estêvão*) produzida em 1983, do húngaro Levente Szörényi (1945) e baseada na história de Santo Estêvão da Hungria (975-1038).

Mas a complexidade vai além da música e entra nos textos: as lendas celtas galesas, do tempo da invasão dos anglos e saxões (410), e da reação dos bretões aos invasores, consagraram o líder Artus — que a Idade Média transformará no rei Artur —, ponto central de inúmeros romances e músicas: *Cavaleiros da Távola Redonda* e *Matéria de Bretanha*, nome dado coletivamente às lendas, em geral de origem celta, relacionadas à história da Bretanha e das Ilhas Britânicas. Esses grandes conjuntos literários, que recuperam ao mesmo tempo a Antiguidade e a Idade Média, foram recebidos e recopiados em toda a Europa, e chegaram aos dias de hoje como algo que já não é nem celta, nem medieval, nem galês, mas que está na estrutura cultural, no fundo cultural de todo europeu. Foi assim que nasceu, na Bretanha francesa, *Excalibur*, uma das últimas e mais significativas óperas rock, ou melhor, uma trilogia, que, à maneira da *Tetralogia* de óperas de Richard Wagner, *O Anel do Nibelungo*, ou da imponente história épica de Tolkien, *O Senhor dos Anéis*, pretende ser *O Anel dos Celtas*. Seu autor é o bretão francês Alan Simon (1964).

> *O início de Excalibur II nos deixa imediatamente no ambiente celta: na sua origem as terras de Anwynn ficavam muito para além do mundo que é hoje conhecido pelos homens. Nesse santuário esquecido os deuses e os mortais viviam em harmonia. Cada árvore, cada riacho, cada ser vivo*

---

[66] Para mais informações sobre a cultura eslávica, confira o box cultural *Eslavos*, lançado pela Editora Pandorga. Acesse nossos canais oficiais para verificar disponibilidade. (N. E.)

[67] Para mais informações sobre *O anel de Nibelungo*, confira *A história de Sigurd* no box cultural *Nórdicos* ou em *O livro vermelho de fábulas encantadas*, ambos lançados pela Editora Pandorga. Acesse nossos canais oficiais para verificar disponibilidade. (N. E.)

era respeitado pelos homens. Foi desse amor maravilhoso, onde até as florestas eram encantadas, que nasceu o Povo Pequeno. Um dia o Povo Pequeno imaginou uma quinta estação do ano, a que chamou Ethaine, a estação das maravilhas. Os pássaros de Ethaine eram emissários do outro mundo. Diz-se que o seu magnífico canto podia acordar os mortos. Nessa terra os homens não conheciam nem a guerra nem o sofrimento.

E termina:

A água, a terra e o fogo são os segredos do anel perdido

Este é o preço do grande equilíbrio

Num dia que se aproxima virá um rei que brandirá Excalibur, a espada dos deuses.

AS ÉGUAS SAGRADAS DOS LUSITANOS

A literatura inspirada nas antigas culturas teve seu apogeu com os escritores românticos do século XIX, mas continuou até hoje, de forma mais elaborada, com outras contribuições, redigindo de forma atraente, por vezes em estilo de ansiedade e expectativa, ou *suspense*, como no cinema, e entrosando de modo consistente fatos imaginados com eventos reais. Em Portugal tiveram grande sucesso os romances de Aguiar sobre a resistência dos lusitanos contra o domínio romano. Numa época, final do século XX, em que Portugal renunciava radicalmente à sua identidade marítima e transatlântica, abrindo mão do império colonial na África e na Ásia para se voltar para a integração na Europa, essa revisão de identidade assentada nos romances das origens da nacionalidade veio satisfazer uma necessidade cultural e intelectual premente. Porém já não a partir da Idade Média, mas dos celtas e celtiberos, ou seja, indo à raiz do que constitui a Europa étnica.

Ao cabo de vários dias, já na margem norte do Tagus (Tejo) avistámos ao longe as muralhas de Olisipo (Lisboa), na época um pequeno burgo concentrado no topo de uma colina fronteira ao estuário do rio. Coaranioniceus, o deus protetor de Olisipo, reside numa das colinas próximas da cidade.

> *No sopé da colina de Coaranioniceus, a que os olisiponenses chamam o Monte Santo (hoje Monsanto) são criadas com o maior desvelo as éguas sagradas do deus, uma manada que só a ele pertence. Não há nas Ibérias animais tão belos e velozes no galope. Os potros são criados separadamente, uns são oferecidos à divindade nos festivais, outros utilizados ou vendidos. Um único, o mais forte, o mais puro, é designado para substituir o garanhão envelhecido, que é então enviado a Coaranioniceus. Assim a manada sacra tem um só senhor, ao qual, desde tempos imemoriais, é dado sempre o mesmo nome: Vento. Este nome, bem como a beleza e a rapidez das éguas do Monte Santo, levaram os povos mais longínquos a julgar que elas são fecundadas pelo próprio vento.[68]*

Os viajantes eram emissários de Viriato, o guerreiro que conduziu a revolta dos lusitanos contra os invasores romanos (147-139 AEC). A intenção dos soldados era comprar potros de Monsanto para com eles formar uma cavalaria a serviço das tropas de Viriato. Negociaram com os sacerdotes, ofereceram sacrifícios ao deus, e seguiram seu caminho para a Serra da Lua (Serra de Sintra), onde hoje funciona o maior centro de estudo e culto de neopaganismo de Portugal.

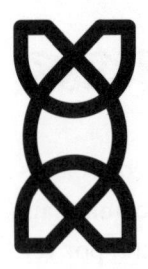

> *É uma estranha terra, essa região que se estende entre a foz do Tagus e a Serra da Lua. No alto das colinas e cumeadas vivem homens que ainda sentem muito próxima a presença da Deusa e conservam, tal como em Cetóbriga, os antigos ritos — a exemplo dos Cetobrigenses, queles que vivem à vista do mar sentem a mesma devoção apreensiva pelo momento sagrado em que o Sol desaparece nas águas; os velhos afirmam, até que se ouve por vezes uma espécie de silvo borbulhante quando o fogo e a água se tocam. Mas ali a rainha incontestada é a Deusa-Lua cujo esposo também é homenageado quando a poderosa consorte está ausente dos céus. Tendo chegado à região num período de Lua Nova assistimos às festas em honra do deus lunar: nos povoados por onde passámos as noites eram animadas por danças e cantos em que todos os habitantes participavam, indo de casa em casa e percorrendo as ruas várias vezes até caírem de cansaço. As músicas e os ritmos são tão antigos e selvagens que metem medo, como se despertassem forças há muito adormecidas.[69]*

Nas notas ao final do romance, o autor previne sobre as modificações que por necessidade literária introduziu no texto, mas explica: "São dados históricos estabelecidos o caráter sagrado da zona de Monsanto (Lisboa); mas a lenda das éguas fecundadas pelo vento foi adaptada. Quanto à Serra da Lua

---

[68]　AGUIAR, J. *A voz dos deuses*. 19. ed. Porto: ASA, 1984. p. 213-16.
[69]　Ibid. p. 216-17.

(Sintra) nada se sabe, exceto que devia ser um local consagrado ao culto lunar. O receio do pôr do Sol é atestado pela História e a Arqueologia."[70]

O MASTRO DA PRIMAVERA, UM CULTO CELTA NO BRASIL

Os cultos e rituais cósmicos celtas continuam a ser celebrados com nomes cristãos. Já citamos que Samhain (1º de novembro), o dia em que os antepassados e os deuses vinham celebrar e festejar com os vivos, mantém-se nas visitas aos cemitérios do Dia de Fiéis Defuntos, continuado pelo Dia de Todos os Santos, nas mesmas datas dos celtas. Também o ritual da transição para o verão, 24 de junho, que era celebrado entre os celtas com fogueiras, se mantém nas fogueiras do dia de São João — há até uma passagem da vida de São Patrício, o apóstolo da Irlanda, em que, no dia das fogueiras pagãs, o Santo venceu o ritual celta acendendo fogueiras maiores para os cristãos.

Há ainda outro ritual celta próprio das estações do ano e que é muito comum no Brasil: o Mastro da Primavera. Como, porém, se trata de um ritual de fertilidade, um verdadeiro culto fálico (culto à potência viril), alheio aos ideais de castidade do cristianismo, e maio não é no hemisfério Sul o mês da primavera, o mastro foi substituído pelo culto a um santo, ocorrendo em cada localidade no dia da festa do santo: São Sebastião, São Bartolomeu, Santo Antônio, e outros. Mas agora, voltemos atrás no tempo e procuremos as suas origens.

Desde o final da última glaciação, a de Würm, há cerca de doze mil anos, os seres humanos, até então dedicados à caça e à coleta de plantas para comer, começaram os trabalhos da agricultura, certamente uma invenção feminina, já que as mulheres, para cuidar de sua gravidez e das crianças, tinham a

---

[70] Ibid. p. 361.

tendência a ser sedentárias e a ficar perto dos acampamentos. Enquanto caçadores, durante cerca de trezentos mil anos, os humanos dependiam muito das atividades masculinas, que forneciam carne, sobretudo depois que o uso do fogo tornou a carne mais digestiva. Suas religiões eram fortemente patriarcais; mas a agricultura trouxe consigo a influência feminina, os casamentos matrilocais e a presença, por vezes predominante, das deusas da agricultura e da abundância. Foi a agricultura, dominada pelas mulheres, que inventou os cultos de fertilidade, nos quais se pedia às entidades sobrenaturais tudo o que dizia respeito ao crescimento da natureza: a chuva, o desabrochar das sementes, a capacidade de fecundação, o sol no devido tempo, a abundância nas colheitas. Mas, como em todos os rituais dos povos que convivem muito com a natureza, havia forte influência da magia simpática: o que os humanos fizerem entre si se refletirá na natureza, uma sociedade fértil e fecunda dará origem a boas colheitas.

Mas neste evoluir, houve um tropeço. Quando o povo de Israel, dirigido por Moisés, que o tirou da escravatura no Egito, chegou à Terra Prometida, Canaã, sua religião era a dos povos pastores: predominantemente masculina, patriarcal e monoteísta, um só Deus, Iavé. Mas os habitantes da terra, os cananeus, eram um povo de agricultores, e continuaram vivendo na região, influenciando os hebreus (israelitas) com suas crenças e práticas, que continuamente os profetas proibiam, nem sempre com resultado.

Sendo um culto da fertilidade, a religião cananeia estava familiarizada com a prostituição sagrada, que se difundia por todo o antigo Oriente Médio. Ela deve ser entendida a partir da perspectiva de uma religião agrícola e suas necessidades. Em tal religião, servia para fortalecer a divindade e conservar as poderosas forças operantes na vida. Contudo, esse costume constituía o ponto fraco da religião cananeia, visto que, como em Babilônia, a distinção entre a prostituição sagrada e a prostituição secular era facilmente obliterada.

Como é próprio de uma religião da fertilidade, todo o ritual era notavelmente influenciado por concepções mágicas, embora tais concepções nem sempre fossem bem explícitas e compreendidas. Contudo, uma delas não deve ser esquecida, isto é, a que a religião cananeia tinha o seu particular elenco de valores, que eram determinados por sua relação com a natureza. Ela produzia tal intimidade entre o homem e a natureza que deve ter sido motivo de atração para os nômades que se estabeleciam na Palestina.[71]

---

[71] FOHRER, G. *História da Religião de Israel*. São Paulo: Paulinas, 1982. p. 64.

Não só "deve ter sido" atraente para os pastores nômades, como de fato o foi: os israelitas eram atraídos pelos cultos à fertilidade, mais festivos e prazerosos do que seus rituais austeros, baseados na leitura da Torah (o Antigo Testamento), e continuamente seus líderes religiosos os repreendiam por participar dos cultos à fertilidade. O cristianismo, herdeiro do austero judaísmo, foi também herdeiro da rejeição aos cultos à fertilidade. Mas voltemos aos cultos celtas.

Na atualidade há duas formas diferentes de Mastro da Primavera: uma em que o mastro é enfeitado com ramos de verduras e flores, e outra em que o mastro tem pendentes fitas coloridas. Neste último caso, o mais comum que se encontra em sites da internet, e em fotografias de eventos turísticos, os dançantes pegam cada um numa fita, e vão bailando ao redor do mastro, enredando as fitas umas nas outras, até que ao final o mastro fica todo colorido; e acaba a dança. Na outra modalidade, o mastro é retirado da floresta, desbastado de casca, enfeitado com flores e ramos, transportado por homens até o lugar de fincá-lo, e no trajeto as mulheres retiram do mastro flores e raminhos. Em ambos os casos, o mastro é colocado no adro ou praça em frente à igreja local, as pessoas dançam em roda, e fazem promessas ou pedidos. Considerando o conjunto das cerimônias, como veremos, parece evidente que a segunda forma é a mais autêntica e original, e que o pau-de-fita é uma forma atenuada e suavizada do ritual da fertilidade. Note-se ainda que cada povoado tem seu modo de celebrar o mastro e, portanto, há variações importantes na festa, mas existe um esquema geral e é o que apresentamos.

Voltemos aos celtas, para depois retornar ao Brasil. Antes disso, é importante salientar que no Brasil existem festas do mastro de caráter celta, mas também há o *Maybaum*, ou festa da árvore germânica, em Blumenau e Pomerode, Santa Catarina. Tal como se celebra atualmente nessas cidades, o *Maybaum* não tem nada de culto fálico ou de fertilidade, como o mastro celta.

> Um dos costumes mais tradicionais de Beltane, ainda praticado em regiões rurais da Irlanda (especialmente na costa oeste), é o chamado Maypole, ou "mastro de maio" ao redor do qual as pessoas cantam e dançam em círculo, celebrando a força do sol, um símbolo do Deus. Aliás, é evidente que o próprio mastro é um símbolo do falo do Deus. A Deusa Terra está vivendo seu aspecto de donzela, à espera do viril Deus dos Bosques que virá fertilizá-la e preservar a vida.[72]

---

[72] QUINTINO, C. C. *A Religião da Grande Deusa*. 2. ed. São Paulo: Gaia, 2002. p. 135-6.

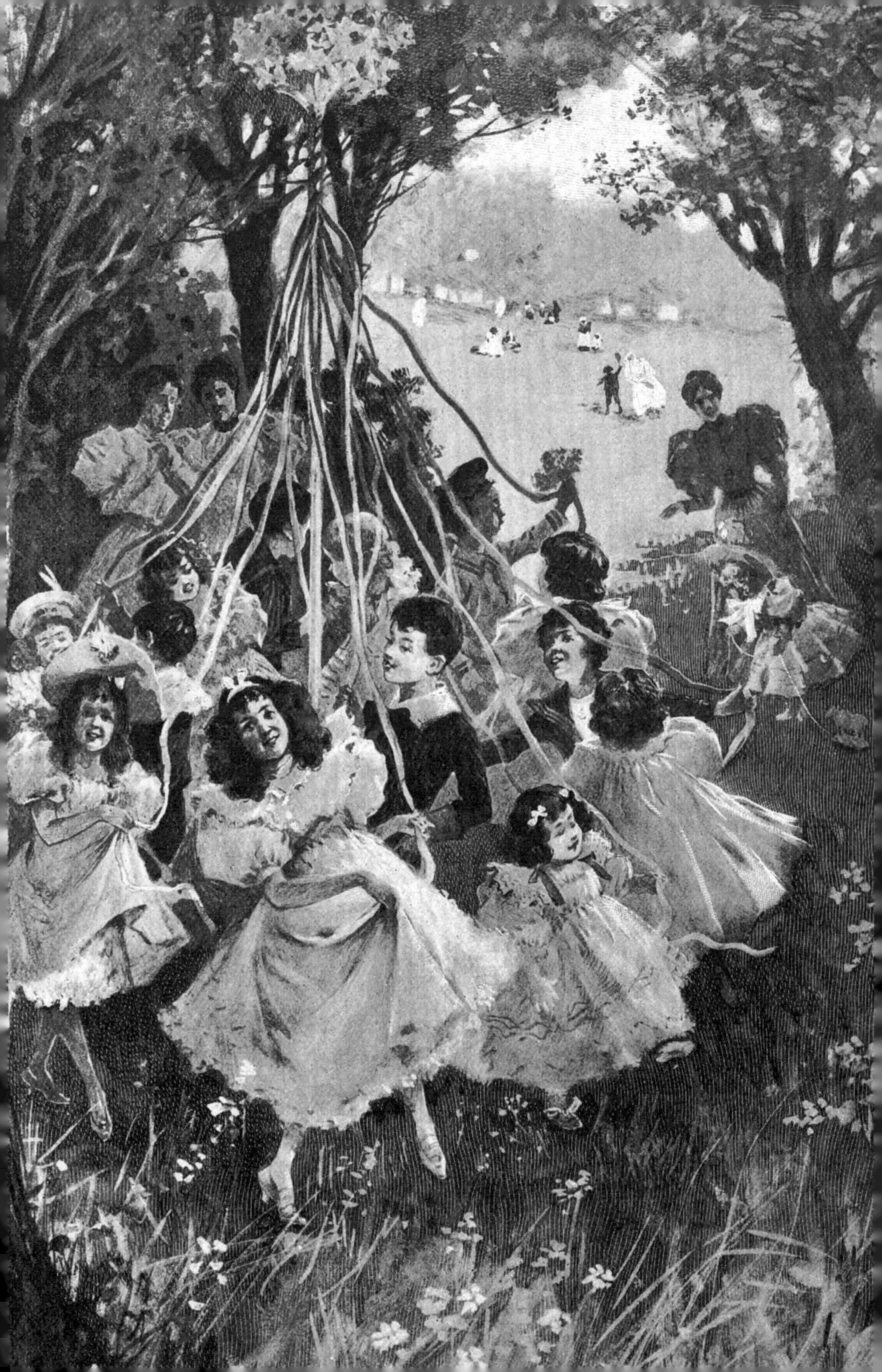

O certo é que os celtas celebravam a festa da primavera, Beltaine, com rituais de fertilidade, e que o mastro era parte desses rituais, embora não se tenha descrições de como era feito antigamente. Mas o ritual que aparece nas descrições recentes é mais complexo do que o do pau-de-fita: na véspera do 1º de maio, os jovens iam à floresta cortar uma árvore reta, que traziam para o povoado, mas, diz um historiador "algumas moças demoravam para voltar" e outro autor diz que "nenhuma das que demoravam voltava virgem". Isso nos remete aos cultos dos cananeus, e às proibições das autoridades religiosas: na Inglaterra, em 1644 o governo dos Puritanos proibiu o *Maypole* por "excesso de licenciosidade".

Mas nem sempre a licenciosidade era tão explícita, na Inglaterra o *Maypole* era tão festejado e tão ansiosamente esperado que na véspera ninguém dormia.

> À meia-noite, as pessoas se levantavam, iam até ao bosque mais próximo e cortavam galhos de árvores, com os quais o sol, quando despontasse, encontraria portas e janelas enfeitadas para ele. Todos passavam o dia dançando em volta do Poste de Maio, com o homem rude e jubiloso mesclando-se à natureza para celebrar a chegada do verão.[73]

Relembrando: os cultos e rituais cósmicos celtas continuam a ser celebrados com nomes cristãos. Já citamos que Samhain (1º de novembro), o dia em que os antepassados e os deuses vinham celebrar e festejar com os vivos, mantém-se nas visitas aos cemitérios do Dia de Fiéis Defuntos, continuado pelo Dia de Todos os Santos, nas mesmas datas dos celtas. Também o ritual da transição para o verão, 24 de junho, se mantém nas fogueiras do dia de São João.

O Mastro da Primavera também é celebrado no Brasil, como dissemos: São Benedito, em Vila Velha (ES), Santa Madalena em União dos Palmares (AL), Santo Ângelo em Novo Airão (AM) e mais algumas dezenas de localidades. Há uma certa variedade de rituais, mas provavelmente a maioria segue um esquema semelhante ao do Mastro de São Sebastião da Penha, em Santa Catarina, descrito por Maria do Carmo Krieger e observado por nós duas vezes: na localidade de Barra, e em Florianópolis, a nosso convite, e ainda no DVD realizado pelo folclorista Gelci Coelho (o Peninha). O relato de Krieger é sobre Armação de Itapocorói, depois que a árvore foi retirada do mato, e desbastada:

> O primeiro momento da festa começa uma semana antes da data de São Sebastião (20 de janeiro), quando o mastro é enfeitado em cerimônia que dura cerca de duas horas. Um tronco de árvore com dez metros de altura é deitado

---

[73] SQUIRE, Charles. *Mitos e lendas celtas*. Trad. Gilson B. Soares. Rio de Janeiro: Nova Era, 2003. p. 323.

> em cavaletes. Pessoas, a maioria mulheres, chegam com folhagem, flores e fitas. Sob a orientação da promesseira do ano (alguém que fez um pedido ao santo protetor de doenças chagadas e está cumprindo seu dever com o santo ao homenageá-lo), os fiéis vão prendendo as oferendas no mastro. Enquanto isso, os participantes do Grupo Folclórico Itapocoróí tocam e cantam, improvisando versos sobre o promesseiro, seus familiares e sobre a história de Armação, o local do evento. Animando tudo há também a oferta da concertada, bebida feita à base de cachaça e especiarias, e broinha de coco, iguaria à base da fruta, trigo e açúcar. O local do enfeite do mastro pode ser a casa do promesseiro, ou a Sociedade Esportiva Beira-Mar, no Bairro de Armação. Após o enfeite, o mastro é levado em procissão até pátio da Igreja de São João Batista. Descansa novamente sobre cavaletes antes de ser erguido, momento em que os devotos invocam pelo santo e mulheres casamenteiras pedem por namorados, dando três voltas ao redor do mastro. Depois o mastro é erguido e o festeiro ou promesseiro do ano hasteia a bandeira do santo, simbolizando a presença de São Sebastião no local.[74]

Assistimos à "saída" do mastro em outubro de 2005, durante a realização da festa do Açor, em Barra Velha, próximo a Armação do Itapocoróí, e o que vimos foi além do que é narrado discretamente no jornal, pois ao longo do trajeto as mulheres e moças presentes acercavam-se do mastro, carregado só por homens, e retiravam flores e pedaços de raminhos, mas sempre fazendo sorrisos maliciosos; sendo que o mastro enfeitado era nitidamente uma representação do falo (pênis) da fertilidade; o que estava sendo explicitamente concretizado eram pedidos de fertilidade e de namoro para essas mulheres e moças. Mas isso é um ritual que não só não é cristão, mas é pré-histórico, portanto, anterior aos celtas que, como em outras coisas — como no santuário de Stonehenge — se apropriaram de cultos anteriores a eles. Os demais comentários confirmaram a nossa suposição daquela hora. No DVD de Gelci Coelho um entrevistado diz que "as mulheres se encostam no mastro, enroscam e agarram" e quando outro comentou "é para fertilizar" todos concordaram.[75] Os padres, mesmo que não conheçam muito a respeito do ritual do mastro, sentem que é pagão e não deixam entrar na igreja, nem chegar perto.

A descrição de Edilece Sousa Couto sobre a puxada do mastro em Ilhéus mantém as mesmas características: "Durante o percurso pela praia aflora a sensualidade dos participantes da festa. Eles requebram embalados pelo som do zabumba, improvisando versos e fazendo piadas e brincadeiras com a forma fálica do mastro. É o momento ideal para paquerar e seduzir".[76] E confirma: "quem

---

[74]   KRIEGER, M. C. R. *Festa do Mastro de São Sebastião*. Notícia, 20 de janeiro de 2007.
[75]   COELHO, G. *O Mastro de São Sebastião da Penha*. DVD.
[76]   COUTO, E. S. *A Puxada do Mastro*. Ilhéus: Editora da Universidade Livre e da Mata. 2001. p. 104.

senta no pau do santo casa-se mais rapidamente e tem sorte no amor".[77] E para confirmar o lado pagão do culto, diz a pesquisadora: o padre nunca vai à festa.[78]

SANTUÁRIOS E CRENÇAS DOS LUSITANOS: O DEUS ENDOVÉLICO

Deus Endovélico, AI illustration.

[77] Ibid. p. 184.
[78] Ibid. p. 193.

O que caracteriza os santuários celtas é eles serem a própria paisagem, onde as forças da natureza se manifestam sem qualquer elemento de humanização. O celta não sente necessidade de construir templos para abrigar os seus deuses, pois encontram-nos nas fontes, rios, florestas, montanhas, na matéria divinizada da natureza. Quando os romanos invadiram a Gália, não encontraram, por isso, templos como os seus, feitos de pedras e luxuosamente ornados, mas apenas recintos sagrados nos recessos das florestas. O santuário de São Miguel da Mota (em Alandroal, Alentejo, Portugal) era a antítese deste tipo de santuário celta, com o seu templo faustoso (*thesaurus*) criado para abrigo de Endovélico (Deus da medicina, venerado pelos lusitanos) e suas sumptuosas oferendas.

O que parece caracterizar a religiosidade primitiva portuguesa é a sua permanente relação com o submundo, a sua qualidade infernal. Numa das aras votivas a Endovélico em São Miguel da Mota é afirmado: "ex imperato Averno". Ela traduz-se: segundo a determinação emanada de baixo. O Averno era um lago na região italiana da Campânia que se acreditava ser a entrada para o submundo. O que era emblemático da alma portuguesa era a sua origem subterrânea. Nesse sentir das origens estão nossos elos consanguíneos com os povos celtas, que achavam que o seu deus havia vindo do submundo. As divindades dos infernos não eram os deuses excluídos que são hoje! Eram aqueles que desencadeavam, pela morte temporária da semente, um novo renascimento vegetal na terra. A relação aos antepassados está bem demonstrada nos ciclos agrários portugueses, em que estes são convocados em momentos específicos de crise sazonal por uma festividade religiosa. Ela está em sintonia com os ciclos de vida e morte da terra e os ciclos do Sol e da Lua.

Os antepassados são os primeiros deuses. São eles que compreendem as necessidades humanas e nos coadjuvam na nossa sobrevivência e busca de conhecimento. A Luz vem das trevas do submundo e, embora Endovélico seja luminoso, ele também é negro. Tão negro como o xisto do seu primitivo santuário ou o javali que aparece em ex-votos e cipós votivos. A sua natureza era, por isso, ambivalente. A sua ambivalência oscila entre a designação que os ofertantes lhe fazem: de Enobólico, o muito negro, ou de Endovélico, o muito bom. Os seus santuários tinham a natureza de redutos, sendo simultaneamente lugares de refúgio e baluartes de proteção.[79]

---

[79] LASCARIZ, G. *Deuses e rituais iniciáticos da Antiga Lusitânia.* 2. ed. Sintra: Zéfiro, 2015. p. 101-8. *Passim.*

A LITERATURA CONTEMPORÂNEA

　　A literatura de ficção com temática histórica tem tido nos últimos anos preferência por algumas épocas ou povos: medieval inglês e galês, viking ou nórdico, imperial romano, otomano etc. Outras culturas e civilizações também já foram alvo de romances históricos, desde o México até o Japão. Os escritores ingleses (aliás: muitas vezes escritoras) têm sido férteis, e com sucesso, em literatura de temática medieval e antiga, destacando-se entre outros estão *As Brumas de Avalon*, e o *O Senhor dos Anéis*. Nestes, e em outros casos, a época é um tanto indefinida: construções, vestuário e costumes parecem ser de épocas diferentes uns dos outros, embora todos também remetam para uma certa *Antiguidade*. Tema também bastante comum, mais ou menos explícito, é o da magia/bruxaria, embora geralmente depurada de aspectos malignos. Não cabendo no nosso propósito fazer uma avaliação geral de toda essa literatura, destacamos apenas algumas obras mais conhecidas.

Capa da primeira edição da trilogia *O Senhor dos Anéis*.
Editora Allen and Unwin, 1954.

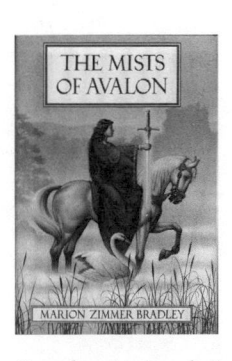

Capa da primeira edição americana de *As Brumas de Avalon*.
Editora Alfred A. Knopf, 1983.

WILLIAM BUTLER YEATS: LITERATURA CELTA E POLÍTICA NACIONALISTA

Muitos literatos de diversos países participaram dos movimentos de renovação céltica, mas na Irlanda foi peculiar o incentivo que os homens de letras deram aos grupos que lutavam pela independência do país. Só na Irlanda a renovação céltica conduziu a uma tal alteração política, com o apoio dos intelectuais. Na impossibilidade de enumerar todos eles, e tudo o que fizeram pela aliança entre literatura e consciência nacionalista, destacamos o poeta William B. Yeats (1865-1939). Ele fundou associações literárias e muito do que escreveu se baseou na cultura popular irlandesa.

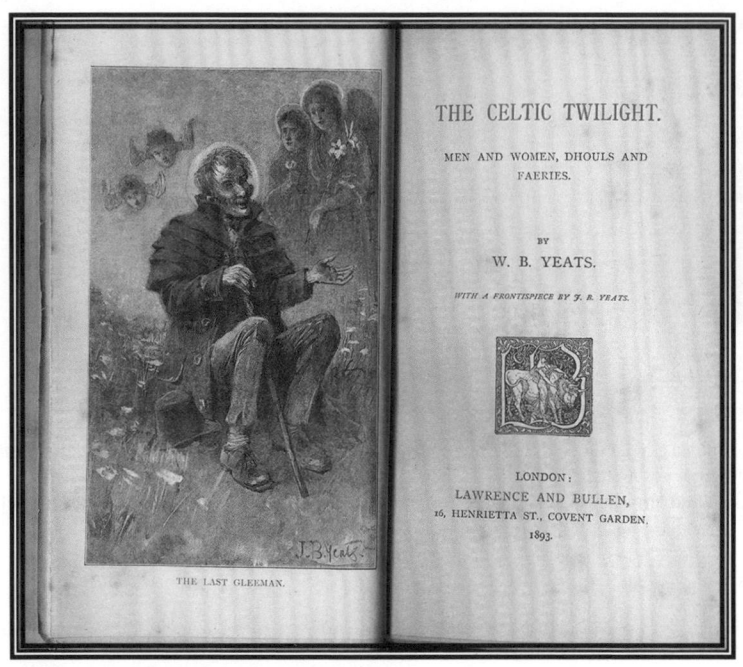

Frontíspicio da primeira edição de *The Celtic Twilight de Yeats*. Lawrence and Bullen, 1893.

Nascido perto de Dublin, onde fez os primeiros estudos, foi para Londres logo em seguida, onde estudou artes e literatura. Em 1888, depois que publicou um poema em que mostrou sua capacidade literária, iniciou a volta às antigas culturas, com uma série de contos e lendas dos camponeses, a que deu o título de *Alvorecer Celta* (The Celtic Twilight). Seus muitos poemas e peças de teatro mereceram-lhe em 1923 o prêmio Nobel de Literatura. Seu trabalho sobre o *revival* celta em favor da autonomia da Irlanda lhe rendeu o posto de senador (1922-1928) pelo Estado Livre da Irlanda (ainda não independente).

Neste trajeto para a independência da Irlanda houve um evento que traumatizou toda a nação irlandesa. No dia 24 de abril de 1916, Domingo de Páscoa, os líderes da Irmandade Republicana da Irlanda iniciaram um levante contra o Governo Britânico. Planejada para ter âmbito nacional, a Revolta da Páscoa teve problemas imprevistos e limitou-se a combates de rua em Dublin. A Grã-Bretanha estava em guerra com a Alemanha, e o governo suspeitou do envolvimento dos rebeldes com o inimigo: o levante foi considerado traição e 15 líderes foram executados. Yeats conhecia pessoalmente muitos deles, e dedicou-lhes uma poesia intitulada *Easter* (Páscoa), que termina assim:

> *Nós conhecíamos os sonhos deles, e estão mortos.*
>
> *Uma terrível beleza nasceu agora.*

A "terrível beleza" foi a reação do povo contra o massacre, que manteve acesa a chama da revolução e conduziu à expulsão dos ingleses do território do Sul da Irlanda.

Outro aspecto do nacionalismo ativo de Yeats foi o seu interesse pela cultura popular, de cuja literatura oral recolheu contos que publicou e prefaciou, e assim diz ele:

> *Todas as pessoas são visionárias e acreditam em fantasmas e fadas. Basta raspar-lhes um pouco a superfície do que eles supõem que são; mas um celta é um visionário sempre, não precisa ser raspado. Diz o relatório das Paróquias da Irlanda que os contadores de histórias se reúnem ao fim da tarde, e quando algum contava uma história com versão diferente dos outros, todos tinham que recitar e votar, e quem variava era obrigado a conformar-se à versão dos outros. Foi assim que as histórias se conservaram com tanta exatidão. Algumas escolhas dependiam dos heróis e da inspiração do momento, porque na Irlanda a poesia sempre esteve misteriosamente ligada com a magia. Estes contos populares estão cheios de simplicidade e de musicalidade porque são a literatura de uma espécie*

de gente para quem os acontecimentos da vida seguem sempre o mesmo sulco, do nascimento, do amor, da dor, da morte, inalterado por séculos e que se deixam ficar no coração daqueles para quem todas as coisas são símbolos. (Yeats 2007 Introdução).

Outros povos e nações da Europa tiveram o seu renascimento cultural — não só celta, mas germânico, eslavo e outros —, contudo na Irlanda foi mais expressivo e conclusivo, pois o movimento conseguiu chegar à independência com relação ao Reino Unido e à Coroa Britânica, e alcançar a Proclamação da República em 1949.

William B. Yeats. (1865-1939).

ASTÉRIX E COMPANHIA

Toda a Gália foi conquistada...Toda? Não, uma aldeia resiste aos invasores...

E assim a fantasia imagina algo que a história não descobriu e não relata. Mas, ao inventar a aldeia e o personagem de Astérix, a imaginação fornece ideias para interpretação. E essas ideias têm fundamentos históricos, por isso, há professores que usam *As Aventuras de Astérix* para estimular seus alunos adolescentes a estudarem o Império Romano e seus súditos celtas e germanos. Algumas aventuras vão até mais além... Vejamos alguns exemplos.

A frase, repetida em quase todos os livros da série — *só temos medo de que o céu caia sobre as nossas cabeças* — foi de fato proferida pelos celtas que Alexandre Magno encontrou nos Balcãs; seu amigo e companheiro de armas, Ptolomeu, que foi depois faraó do Egito, e estava presente no encontro, a registrou em suas memórias; e os escritores gregos que a reproduziram consideram que essa era uma fórmula de juramento própria dos celtas (cf. a seção deste livro "Os gálatas cristãos eram celtas?").

Mas voltemos ao início das aventuras, cuja publicação teve início em 1959, sendo seus autores René Gosciny (escritor) e Albert Uderzo (desenhista). O tema inicial é o seguinte: na província da Armórica, hoje a Bretanha, na França, havia uma aldeia, a dos "irredutíveis gauleses", que sempre resistia ao invasor romano (Júlio César) e fazia a vida difícil aos legionários que a cercavam, e que tinham pavor de serem atacados pelos gauleses. Era a aldeia de Astérix e Obélix, que a poção mágica do druida Panoramix tornava invencível.

O chefe da aldeia, Abracurcix, ficou furioso quando lhe disseram que uma legião romana recém-chegada da terra dos belgas tinha ido para Armórica a fim de descansar. E mais furioso ficou quando lhe contaram que Júlio César tinha dito que os belgas eram os mais fortes de todos os celtas. "Ah ele disse isso, César? Pois muito bem! Você sabe o que eu penso de César?" Reuniu o conselho da aldeia, e foi à terra dos belgas, acompanhado de Astérix e Obélix. Quando encontrou os chefes locais, discutiu a questão, e, para medir forças, acompanhou os guerreiros nos ataques aos acampamentos romanos. Porém quando Abracurcix disse ao chefe belga que a declaração de Júlio César sobre os "fortíssimos belgas" era ridícula, quem ficou bravo foi o próprio belga. Resolveram então fazer um concurso de bravura em que o juiz seria o próprio César, que estava em campanha militar por ali mesmo. Mas quando Astérix foi convidar Júlio para ser juiz, foi este que então ficou danado de fúria, por achar esse papel ridículo para ele, e decidiu atacar os belgas com suas legiões. Porém belgas e gauleses derrotaram os romanos, e tudo acabou como em todas as aventuras de Astérix: num banquete... mas desta vez à moda da gastronomia belga atual: com mexilhões e batatas fritas.[80]

Astérix entre os belgas.
Editora Hachette, 2000.

HARRY POTTER

A literatura que tem por herói ou personagem central a figura imaginada do jovem bruxo Harry Potter recua às origens da história da bruxaria

---

[80] GOSCINY & UDERZO. *Astérix entre os belgas.* Trad. Eli Gomes. Rio de Janeiro: Record, 2014.

Primeira edição de *Harry Potter*. Editora Bloomsbury, 1997.

britânica até épocas imprecisas, sem que se possa determinar temas especificamente celtas, ou bretões. Há, nos romances de *Harry Potter*, temas e circunstâncias recorrentes que estão próximos dos celtas, mas que se encontram em outras culturas e povos europeus antigos, como a presença de elfos e duendes, ou a convivência e sintonia com animais — Harry fala a linguagem das cobras, habilidade raríssima entre os bruxos. Outra temática próxima à celta é a coexistência de mundos diferentes que convivem em paralelo, não só o mundo aparentemente comum dos chamados *trouxas*, com o mundo da bruxaria, mas também outros mundos. Nunca porém se faz a mais remota referência à religião, ou à mitologia, e nunca são citados deuses, nem celtas, nem germânicos nem do cristianismo (embora o Natal seja festejado). A magia e a bruxaria ensinadas na escola de Hogwarts têm muito a ver com as práticas populares de praticamente todos os povos europeus, como o uso de ervas e os conhecimentos de astronomia; a prática de transformação de animais em outros animais, ou em seres humanos, é usual; a diferença entre o bem e o mal é indecisa e ambígua, e o código de ética é ditado apenas pelas regras da escola, e nas concepções gerais que lá são ensinadas, a morte faz parte da vida, mas entre uma e outra há estados, ou estágios indefinidos.

Talvez estudando todos os livros da saga *Harry Potter* com mais atenção se possa encontrar alguma referência mais especificamente celta, pois há pelo menos um caso destacado em que a presença celta é bem definida: *o Hospital de São Mungo (St. Mungus) para doenças e acidentes mágicos* (*A Ordem da Fênix*, capítulo 22). O hospital teria sido fundado pela figura fictícia de Mungo Bonham (1560-1659), cujo personagem e nome são inspirados na figura histórica de São Mungo (518-614). Nascido no Sul da Escócia, recebeu o nome de Kentigern; foi adotado pelo monge São Serf, que lhe deu o nome de Mungo (pequeno querido) e tal como seu pai adotivo foi monge, e depois bispo, e nessa condição fundou a cidade de Glasgow, que até hoje o venera como patrono.

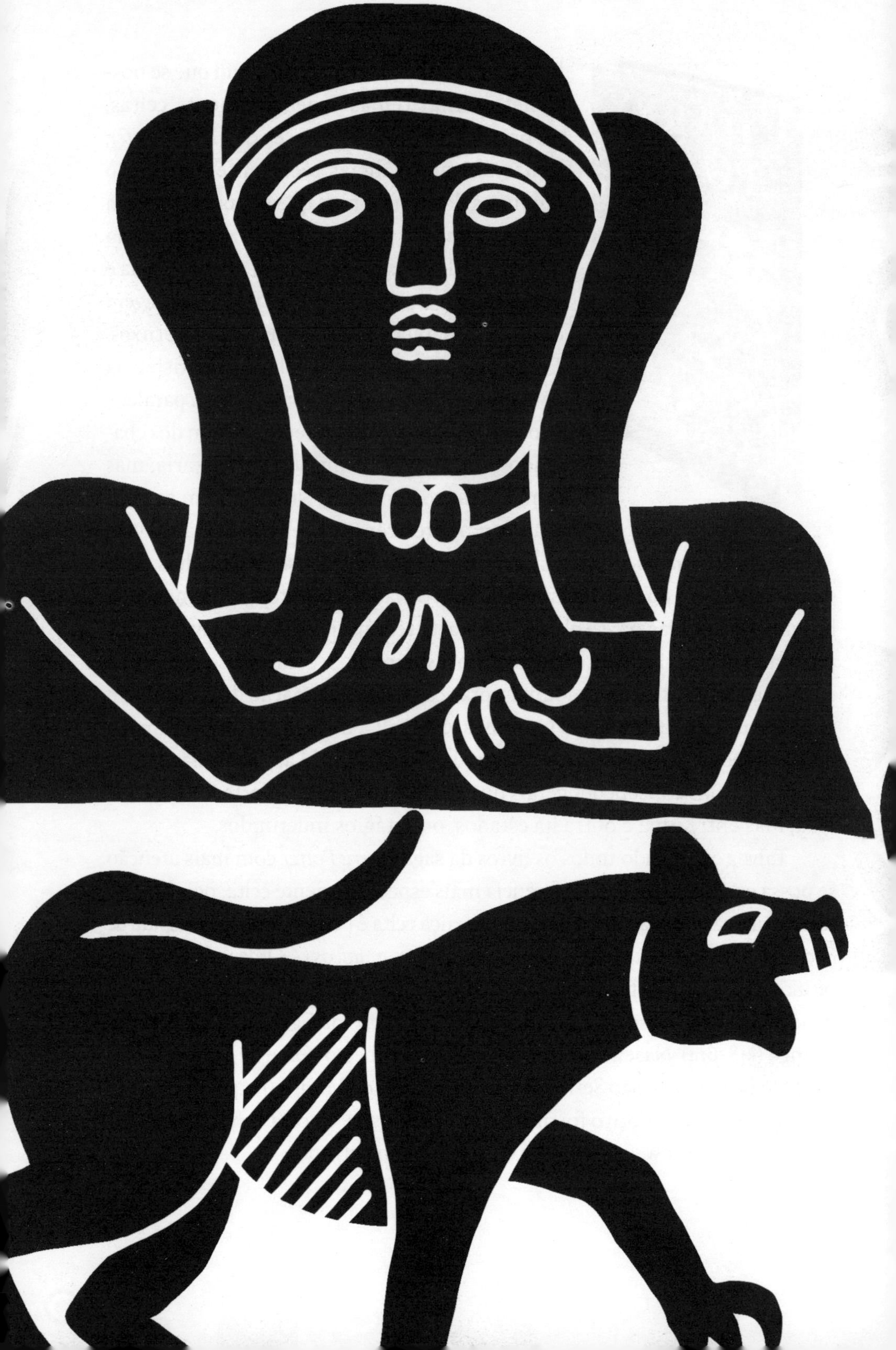

NEOPAGANISMO

VII

Ritual da floresta, AI illustration.

NEOPAGANISMO: SIGNIFICADO E VALIDADE

O neopaganismo é um conjunto de culturas múltiplas e variadas, frequentemente complexas, que se desenvolveram no seio da sociedade ocidental nos últimos dois séculos. Têm em comum o recurso (retomada de ideias) às culturas europeias anteriores ao cristianismo, e a rejeição do próprio cristianismo. Existem no neopaganismo muitas orientações, mas de início podemos distinguir as tendências religiosas, como o neodruidismo e a wicca, e as tendências naturalistas, que aderem a concepções sobre a natureza (ambiente vivo) sem inserir conotação religiosa. Contudo, as tendências religiosas não são propriamente religiões *puras*: elas incluem aspectos que geralmente consideramos não religiosos, como bruxaria e magia. Por sua vez, as tendências naturalistas, em sua veneração das forças da natureza, têm nítidas conotações de magia, e certamente algumas de bruxaria, e as distinções entre as duas nem sempre são claras.

Podem também distinguir-se vários tipos de neopaganismo conforme a cultura antiga que se revivifica — ou reconstrói —, criando novos elementos a partir dos conhecidos, como os de origem celta já citados, e os germânicos (como o *asartu*). Porém, nas doutrinas neopagãs, algumas delas muito elaboradas e sofisticadas, entram elementos culturais e ideológicos de outras procedências, de tal modo que numa determinada orientação de base celta se torna difícil distinguir o que provém dos celtas e o que lhes é acrescentado. São novas culturas e novas religiões, em que vemos ressurgir ideias e vivências antigas e conhecidas, mas em contextos mais complexos, que os fazem, de fato, novos, diferentes dos antigos. Isso, porém, não deve desanimar, ou deixar perplexo o estudioso, que deve levar em conta que, nas culturas celtas ou germânicas tradicionais não havia uniformidade, mas, pelo contrário, muita diversidade no espaço, evoluindo na convivência com outras culturas, como no cristianismo medieval. O neopaganismo celta continua celta, sem ter que pedir "autorização" para existir.

O problema surge para o leitor, seja ele especialista ou apenas interessado, quando o recriador de narrativas neopagãs interpreta os dados sob um ponto de vista pessoal, em que muitas vezes meros indícios são aceitos como provas inconfundíveis. O especialista acha que são fantasias, o interessado fica confuso. Mas não é caso para isso: mesmo o historiador acadêmico, que, ao analisar os documentos, segue regras científicas, metódicas e objetivas para determinar o que pode ser aceito como certo, também corre riscos, pois ao interpretar situações ambíguas, ou ao tentar preencher lacunas com "os dados mais prováveis", tem que recorrer à imaginação, e pode distorcer os fatos: se não fosse assim, todos os historiadores concordariam uns com os outros, o que não é o caso. Por isso, ao ler um trecho de história acadêmica, muitas vezes não estamos seguros de que esteja correto, e ao ler uma interpretação neopagã, não temos a certeza de que seja uma fantasia. Precisamos entender que, no neopaganismo, o autor transfere para o interior do indivíduo, para a sua consciência e vivência, o significado dos rituais e dos fatos maravilhosos: é o objetivo que se torna subjetivo.

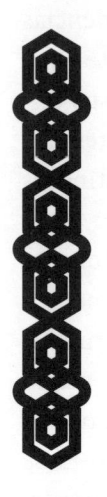

> A Serpente é o Agathodaimon que se enrola no Axis Mundi da nossa carnalidade como Rei Ancestral. Sob o pretexto da lenda visigótica talvez haja uma encantadora cilada: não se estar a fazer a hagiografia de um rei remoto, mas de um rei futuro. Pois Rodrigo, cujo significado etimológico é "regente poderoso", refere-se não só a um rei perdido nas brumas da historiografia ibérica, mas sobretudo ao Ser Transpessoal sepultado dentro da nossa personalidade. Talvez este regente poderoso dentro de nós, vencido e humilhado, esquecido e foragido, louco e eremita no cimo remoto e solitário das montanhas hispânicas, nada mais seja do que a nossa Alma vencida e exilada por esse estrangeiro que é o nosso Ego. A tumba servirá, então, para sepultarmos o ego nu e purificado e servi-lo em oferenda à Serpente dos Pólos. Assim, assumiremos a Tradição Hiperbórica dos Visigodos, aquela que os antigos egípcios chamavam por Seth e os gnósticos por Agathodaimon, e restituiremos à Antiga Sabedoria o trono a que ela tem direito.[81]

Cunliffe discute o surgimento de novas seitas, grupos neopagãos e ordens neodruídicas, como a *United Ancient Order of Female Druids*, fundada em

---

[81] LASCARIZ, Gilberto de. *Deuses e Rituais iniciáticos da Antiga Lusitânia*. 2. ed. Sintra: Zéfiro, 2015. p. 73-4.

1876 como reflexo das novas dinâmicas de gênero existentes no interior da sociedade vitoriana, e a *Ancient Order of Druids*, na qual Winston Churchill foi introduzido em 1908.[82] Cunliffe deixa claro que os druidas foram um fenômeno do passado e que essas reconstruções não são capazes de reivindicar nenhum grau de continuidade com a antiga prática druídica. Eles não perpetuam uma tradição, mas são releituras do passado.

PAGANISMO E NEOPAGANISMO: ALGUMAS DISTINÇÕES

Vejamos brevemente algumas características de certos escritores/pesquisadores de neopaganismo, e algumas diferenças entre os cultos e religiões neopagãos e as religiões celtas antigas. Muitos autores neopagãos, de cuja competência e seriedade não se duvida, apresentam tendência, por vezes forte, a:

⊕ Utilizar faculdades do tipo intuição e racionalidade alternativa como componentes da metodologia de pesquisa, e daí por vezes passar a incluir visões e experiências extrassensoriais como elementos capazes de alcançar resultados objetivos;

⊕ Escrever em estilo enfático, com forte presença de pontos de exclamação, indicando com isso que a emoção é parte da razão;

⊕ Multiplicar as sugestões de relacionamentos entre entidades sobrenaturais díspares e afastadas;

⊕ Enfatizar a análise filológica dos teônimos (nomes de deuses) como parte decisiva da pesquisa, e, face às múltiplas opções, deixar o leitor na perspectiva de que todas são válidas.

Estas e outras características semelhantes têm levantado oposição por parte dos pesquisadores acadêmicos, embora cada vez mais haja professores universitários que compreendem e aceitam não só a intuição, mas também as

---

[82] CUNLIFFE, Barry. *The Druids*. A Very Short Introduction. Oxford: Oxford Univeristy Press, 2010.

lógicas não conscientes como integrantes legítimas da pesquisa objetiva. São questões importantes e atuais, porque apontam para novas concepções de ciência válida, mas que são muito discutíveis; entendemos, porém, que não devemos nos furtar de apresentá-las, porque elas são as versões atuais da mitologia celta.

Sobre as diferenças entre as religiões celtas antigas, tal como conseguimos conhecê-las, e as religiões celtas contemporâneas do tipo neopagão, pelo menos os seguintes traços podem ser definidos:

⊕ As religiões celtas (não sabemos se todas) praticavam sacrifícios humanos, o que não parece estar presente nas contemporâneas, pelo menos de forma explícita e pública;

⊕ Atualmente a presença de sacerdotisas é dominante, enquanto na Antiguidade não é certo que existissem druidesas (as menções a elas são raras).

⊕ Em vez do culto a Lug, como deus-sol e grande guerreiro, o culto predominante é à Grande Deusa Mãe.

⊕ Toda a tradição antiga se passava de boca de druida a ouvido de druida, sem uso de material escrito, que hoje é muito abundante, contando também com recursos digitais e eletrônicos.

⊕ Nas religiões celtas antigas, todo o povo participava, e esse povo era totalmente camponês, vivendo em pequenas aldeias; mas hoje os fiéis, certamente não menos sinceros e crentes, pertencem geralmente à classe média urbana.

⊕ O neopaganismo é intimista e subjetivo, ao contrário das religiões celtas antigas, que eram objetivas, voltadas para os cultos em comum; essa subjetividade leva a expressões notáveis de intimidade mística com a Deusa, e também a longas e frequentes considerações do tipo autoajuda, ou recomendações éticas para a sociedade. Veja-se esta oração contemporânea:

A minha confiança na Deusa veio com a prática de repetir:
"eu confio em Ti, Senhora, e entrego-te as minhas dúvidas, angústias
e preocupações. Eu estou ao Teu serviço e aceito o que de Ti vier
como sendo o melhor para mim e para o propósito maior da minha alma".
Por vezes sei que resisto, que a Deusa me propõe coisas
que me assustam um pouco...
mas a minha rede é Ela e n'Ela confio.[83]

---

[83] FRAZÃO, L. A *Deusa do Jardim das Hespérides*. Desvelando a Dimensão Encoberta do Sagrado Feminino em Portugal. 2. ed. Sintra: Zéfiro, 2021. p. 103-4.

> *Essa busca da Deusa é um caminho invariavelmente solitário (...).*
> *O próprio indivíduo só pode realmente progredir, caminhando,*
> *como se diz, com suas próprias pernas (...).*
> *O indivíduo deve ser responsável por sua evolução,*
> *por seus atos (...). Cada um é, a um tempo,*
> *seu mestre, seu guia, seu discípulo e seu templo.*[84] (Quintino 9-10).

As antigas religiões celtas não tinham nenhum tipo de sistematização doutrinária e conviviam tranquilamente com inúmeras contradições, mesmo entre os deuses — não havia um panteão organizado, com hierarquias, e com atribuições definidas. Em contraposição, os vários tipos de neopaganismo geralmente elaboram doutrinas e teologias sofisticadas, inclusive incorporando crenças (e deuses) de outras religiões, para se consolidar e se justificar. Essa forma de tratar os temas religiosos tem muitos aspectos a serem considerados, mas vamos destacar apenas dois: a contínua interrelação entre deuses e natureza, tanto animal, como vegetal e mineral, o que faz pensar que, para os neoceltas, tudo o que existe tem algum tipo de vida, e que a distinção entre natural e sobrenatural não é fixa, mas indefinida; isso faz com que o neopaganismo de inspiração celta, mesmo quando não é ateu ou anticristão, não se configure bem como uma religião, mas mais como religiosidade.

O segundo ponto é que essa forma de lidar com temáticas religiosas não é só uma metodologia, mas uma concepção metafísica que encara todas as manifestações religiosas como decorrentes de um fundo humano comum ou uma visão de mundo na qual se enraízam todas as religiões, e, por isso, é pertinente relacioná-las entre si, mesmo as mais díspares.

WICCA, A BRUXARIA CELTA REVISITADA

No conjunto e contexto das reconstruções contemporâneas das culturas celtas, destaca-se o que pode ser chamado de *nova bruxaria*, cuja principal

---

[84] QUINTINO, C. C. *A Religião da Grande Deusa*. 2. ed. São Paulo: Gaia, 2002. p. 9-10.

manifestação é a Wicca. Trata-se de um nome reinventado, e de imprecisas origens, mas aparentemente relacionado com o significado inglês de *witch* (bruxa ou feiticeira). O nome e a ideia geral devem-se a Gerald Brosseau Gardner (1884-1964), responsável pelo surgimento desse novo conjunto cultural-religioso, certamente um dos mais sérios e autênticos, comparado com outras reconstruções mais fantasiosas.

O termo *wicca* foi usado por Gardner em seu primeiro livro *A Bruxaria Hoje* (1954), e repetido nas suas obras seguintes, sempre associado à bruxaria tradicional. É preciso, porém, ter em conta o contexto dos séculos anteriores, o período da Modernidade (séculos XVI a XVIII) e sobretudo a Reforma Protestante, mais intolerante do que a Igreja Católica no que se referia a práticas cristãs populares. Homens e mulheres eram perseguidos, falsamente acusados de bruxaria, torturados e condenados à morte pela fogueira por serem supostamente aliados de Satã.

A Idade Média tinha sido proporcionalmente mais tolerante com as práticas que, mais tarde, foram consideradas bruxaria, porque na falta de médicos capacitados, as mulheres atuavam como parteiras, benzedeiras e curandeiras. Quando no século XVII a medicina começou a ter profissionais e se constituiu numa ciência eficiente, a instituição médica incentivou a perseguição às pessoas que utilizavam os conhecimentos tradicionais populares. Isso ainda acontece atualmente, por exemplo com relação à acupuntura. Porém o romântico século XIX, voltando a valorizar o tradicional e o popular camponês, veio pôr em causa as perseguições e os preconceitos contra as bruxas, começando a destruir esse grande edifício de ideias que estigmatizava sobretudo as mulheres — há quem afirme que uma das razões é porque os homens têm medo do poder feminino, que é, pela gestação, o poder da vida nova.

A palavra "bruxa" começou a perder a conotação de maldade que tinha antes, mas que ainda em parte conserva nos meios rurais e de pescadores. Porém, mesmo nestes casos, como nas histórias de bruxas que Franklin Cascaes coletou na ilha de Santa Catarina — e que ilustrou com desenhos fantásticos —, a bruxa não é a encarnação do mal: ela pode ser a sua vizinha, ou parente, pode abandonar suas práticas *bruxólicas* se a benzedeira a convencer.

Nesse meio a ambiguidade entre o bem e o mal é a condição de convivência social diária. A questão é variada e complexa, mas o certo é que, quando Gardner escreveu os seus livros e lançou a "proposta" de uma nova bruxaria, encontrou um terreno favorável, de tal maneira que a Wicca em pouco tempo se expandiu, apoiando-se numa doutrina consistente, interessante e atraente, e não só atingiu elevados níveis de espiritualidade, como se tornou uma verdadeira religião neopagã. A vida interior e a espiritualidade vivida pelas bruxas da Wicca chegam a ser de uma tal elevação religiosa, que suas narrativas se aproximam, até na linguagem hesitante e paradoxal, dos relatos dos místicos de outras religiões.

> Houve um período que eu tive uma séria briga com a Deusa e ela ganhou! Então eu realmente rompi, não quis romper, eu rompi, rompi no sentido de que eu fui lá, desmontei meu altar, eu falei não quero saber de você na minha vida, etc. etc. etc., eu rompi mesmo!... Eu fui parada, eu fui posta num quartinho para pensar... e saí dele bem melhor, o que não quer dizer que ocasionalmente não volte para o quartinho.

> Fui com minha mãe na festa do 8 de dezembro lá no morro da Conceição. E tou lá olhando pra a imagem da santa e falei valeu Maria, tamos de volta. Foi algo meio assim. Foi ver todo poder da Deusa, ver toda misericórdia da Deusa, ver como ela acolhe aquelas pessoas que a chamam por outro nome, mas ver como ela sempre vai ser amor, carinho e misericórdia, como ela sempre vai acolher, não tem jeito, não tem jeito, meu amor pela Deusa é alguma coisa muito grande... é um encantamento por ela, em qualquer das maneiras, qualquer que seja a roupa que ela vista, é um encantamento por ela. O que me trouxe foi o encantamento pela Deusa. Por isso mesmo que eu briguei com ela.... porque sou encantada por ela. Eu ouvi o chamado novamente, o chamado não para. Ela chama sempre, você fecha os ouvidos... eu ouvi o chamado novamente.[85]

[85] BEZERRA, K. O. *Wicca no Brasil. Magia, Adesão e permanência*. São Paulo: Fonte Ed. 2017. p. 200-2. Resumido.

O movimento wicca mostrou-se tão forte e válido, que foi apropriado por outras entidades, ideologias e doutrinas que usam a wicca para reforçar seus objetivos: feministas, ambientalistas, socialistas, entre outros. Mas isso vale, porque as ideias de recuperação do sentido profundo da bruxaria, aquele sentido que nem as bruxas medievais explicavam, trouxeram à tona algo fundamental nas reconstruções culturais contemporâneas: por debaixo da capa de estereótipos e preconceitos há um fundo de verdade muito humano. Como disse a muito respeitada escritora Silvia Federici, citando Arthur Miller:

> *Assim que despojamos de parafernália metafísica na perseguição às bruxas, começamos a reconhecer nela fenômenos que estão muito próximos de nós.*[86]

Gerald Gardner (1894-1964)

E logo adiante, ela explica porque escreveu esse livro: para que todas as bruxas que injustamente sofreram perseguições, tortura e morte não sejam esquecidas.

Curiosamente, no entender de Gardner, a wicca pode operar uma ação aparentemente contraditória à sua natureza ou origem: purificar o próprio cristianismo:

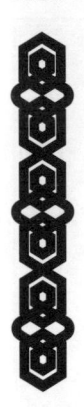

> *Como a arte da bruxaria pode contribuir para o futuro? Em primeiro lugar pode desmascarar o mito de que o Cristianismo Ortodoxo é a antiga fé dessas ilhas e que não havia civilização na Bretanha até a chegada dos romanos. O verdadeiro Cristianismo, a fé que o próprio Jesus pregou, pode ter chegado até aqui, mas foi rapidamente subjugada. Os vários tipos de dominação eclesiástica que tomaram o poder e a riqueza do país estão decaindo lentamente. Não apenas as velhas catedrais, mas os velhos dogmas estão impregnados de decadência e do besouro da morte; e deveriam preservar as velhas catedrais tão bem quanto os velhos dogmas, pois as primeiras foram feitas por bons homens.*[87]

---

[86] FEDERICI, S. *Calibã e a Bruxa*. Trad Sycorax. São Paulo: Elefante 2017. P. 418.
[87] GARDNER, Gerald B. *O significado da bruxaria: uma introdução ao universo da magia*. Trad. Lya Serignolli. São Paulo: Madras, 2018. p. 367.

ANEXTLOMARÂ, A DEUSA OBSCURA DOS HELVÉCIOS

O *caso* de Anextlomarâ é um dos mais interessantes como reconstituição de uma figura mitológica usando procedimentos e métodos ao estilo Nova Era e neopaganismo, ou seja, uma metodologia não convencional. Entre outras coisas isso significa: interessa mais compor a figura divina coerente e relevante para o *culto* contemporâneo do que reunir elementos academicamente aceitáveis para dizer o estritamente confiável e garantido, sem fantasias que deturpem a autenticidade. Dito de outra maneira: a quem interessa hoje a personagem divina Anextlomarâ? Se os cientistas — arqueólogos, historiadores etc. — sabem tão pouco a respeito dela, por que não inventar uma outra figura que a substitua? Dentro do processo de inventar há certamente gradações, de mais, ou menos, uso de procedimentos daquilo que se poderia chamar *nova ciência*. Estes raciocínios, ou outros semelhantes, com os quais a ciência tradicional não concorda, é que levaram a recompor a figura de Anextlomarâ. Pois tudo o que temos de concreto sobre ela é uma inscrição em Avanches, antiga Aventicum, capital dos helvécios, na Suíça. A inscrição, que data do período romano, diz apenas:

A ANEXTLOMARÂ E A AUGUSTUS PUBICUS AUNUS

Entre os procedimentos usados na reconstituição desta personagem divina há aqueles que a ciência tradicional aceita: etimologia (origem do nome), comparação com outros deuses celtas e anteriores aos celtas, e análise do contexto céltico-romano. Os métodos que ultrapassam a *racionalidade científica* são: gnose pessoal não verificada (em inglês: UPG), e adivinhação, incluindo tarô. Etimologicamente *anextlo* significa proteção, e *maro* quer dizer grande, portanto, a Deusa é a Grande Protetora. Tal como em outros casos a deusa foi identificada, ou assimilada a alguma divindade greco-romana — assim como no Brasil os orixás são identificados com santos cristãos — e uma vez

Representação artística por AI da deusa Anextlomarâ.

que Aventicum, além de capital regional, era um centro importante de cruzamento de estradas com forte comércio imperial (internacional), Anextlomarâ era (devia ser) uma divindade importante, relacionada com a ordem civil e a civilização. A assimilação à divindade greco-romana pode ter sido com um deus masculino, pois na França, em Le Mans (território dos antigos éduos, ou eduanos), encontrou-se uma inscrição com o nome de Anextlomarus, ou Apolo Anextlomarus. Ora, os Eduos durante a invasão romana eram aliados dos romanos e combateram os helvécios, mas também já haviam sido seus aliados, ou seja, a relação entre os dois grupos celtas era ambígua.

Comparações eruditas e sofisticadas com outras divindades fazem Anextlomarâ deusa da luz, deusa do amor e do casamento; talvez fosse a rainha dos deuses, mas não há indicações de que seu culto passasse além de Aventicum. A investigação hesita em afirmar seus resultados, mas conclui:

> *Nunca saberemos ao certo como é que os antigos viam e descreviam Anextlomarâ, mas podemos pelo menos adorar a deusa na interpretação contemporânea.*

A GRANDE MÃE

Entre as tendências e doutrinas do neopaganismo, certamente as de inspiração celta são as mais significativas pela seriedade e profundidade de elaboração de ideias e pela organização e difusão das entidades de grupo. Uma das ideias e crenças que os neoceltas mais têm desenvolvido é o culto à Grande Mãe, geralmente como Mãe Terra, que recolhe todas as crenças religiosas acerca das Deusas mães desde o Egito e Mesopotâmia até incluir a Virgem Maria, Mãe de Deus. No exemplo abaixo, tomado de uma sacerdotisa de Avalon, repare-se que há uma identificação entre as Deusas e a Deusa, como se a Grande Mãe se manifestasse em cada região, localidade e religião através de uma Deusa particular.

> O regresso da Deusa à consciência da humanidade é o movimento evolucionário mais importante a acontecer neste momento no planeta. Partindo duma base feminista, bem como do entendimento de que a terra é um ser vivo do qual é urgente cuidarmos, milhares de pessoas por esse mundo afora estão a despertar para a importância de resgatar o Feminino, honrando de novo a Deusa.

Nos últimos trinta anos temos estado ativamente relembrando a nossa ligação à Deusa aqui em Glastonbury, Inglaterra, aprendendo sobre a Sua natureza, ao tomarmos consciência da forma como Ela se mostra na paisagem, à medida que flui o ciclo das Estações. Temos também investigado intensamente os Seus nomes, nos rios e nas montanhas, em lendas e em narrativas populares. Descobrimos assim as Suas histórias, escondidas sob camadas e camadas de mito patriarcal, conseguindo trazer à tona a Sua natureza na nossa terra e muito da informação que sobre Ela tínhamos esquecido. Temos ainda vindo a criar novas histórias e cerimônias que exprimem o amor e a devoção que Lhe dedicamos.

O processo de descoberta, de desocultação das Deusas escondidas em todas as partes do mundo é importante para todas e todos nós! Por vezes Elas estão logo ali, no nome dum rio ou de uma montanha, sob o disfarce duma santa, ou até, em alguns casos, em histórias de mulheres que foram amaldiçoadas. O processo de redescoberta da Deusa é uma jornada de relembrança.

Tal missão implica conhecer a literatura disponível, calcorrear caminhos, ouvirmos a nossa intuição, os murmúrios do vento, dos ossos e das velhas pedras, para encontrarmos as antigas e as atuais Deusas do território.[88]

Na dimensão portuguesa a nossa, Deusa tutelar é Cale, Calaica, Calícia, Beia, que precisamente deu o nome a Portugal (Portus Cale) e também à Galiza. Cale é, pois, a nossa Grande Deusa, nas Suas várias faces: Donzela, Mãe do Fogo, Amante, Mãe da Água, Mãe da Abundância, Mãe da Terra, Anciã e Mãe do Ar. É na Sua face de Deusa Anciã, Aquela que possui toda a sabedoria do tempo, que Cale é a Guardiã do Centro no nosso território do Oeste, lugar onde o Sol se põe cada dia, onde morre para renascer no dia seguinte, e onde as Irmãs do Poente guardam a sabedoria da imortalidade, ou seja, onde nos ensinam a cultivar os valores essenciais para vivermos como almas imortais que somos.[89]

Todos nós nascemos da Deusa, e a centelha divina que ilumina nossa existência é uma parcela dessa Deusa. Tudo o que precisamos fazer é perceber essa centelha, permitir cada vez mais intensamente para que forme, somada às muitas outras centelhas dos que abraçam a Religião da Deusa, e também à luz de outras criaturas que Dela nunca se afastaram, uma imensa estrela de luz divina que banhe nossa terra, fundindo nossa energia novamente à do nosso amado planeta que, na verdade, é nossa própria Deusa Mãe.[90]

---

[88] Prefácio de Kathy Jones, Sacerdotisa de Avalon. In: FRAZÃO, L. *A Deusa do Jardim das Hespérides*. Desvelando a Dimensão Encoberta do Sagrado Feminino em Portugal. 2. ed. Sintra: Zéfiro, 2021. Resumido e adaptado.

[89] FRAZÃO, L. op. cit. p. 58.

[90] QUINTINO, C. C. *A Religião da Grande Deusa*. 2. ed. São Paulo: Gaia, 2002. p. 12.

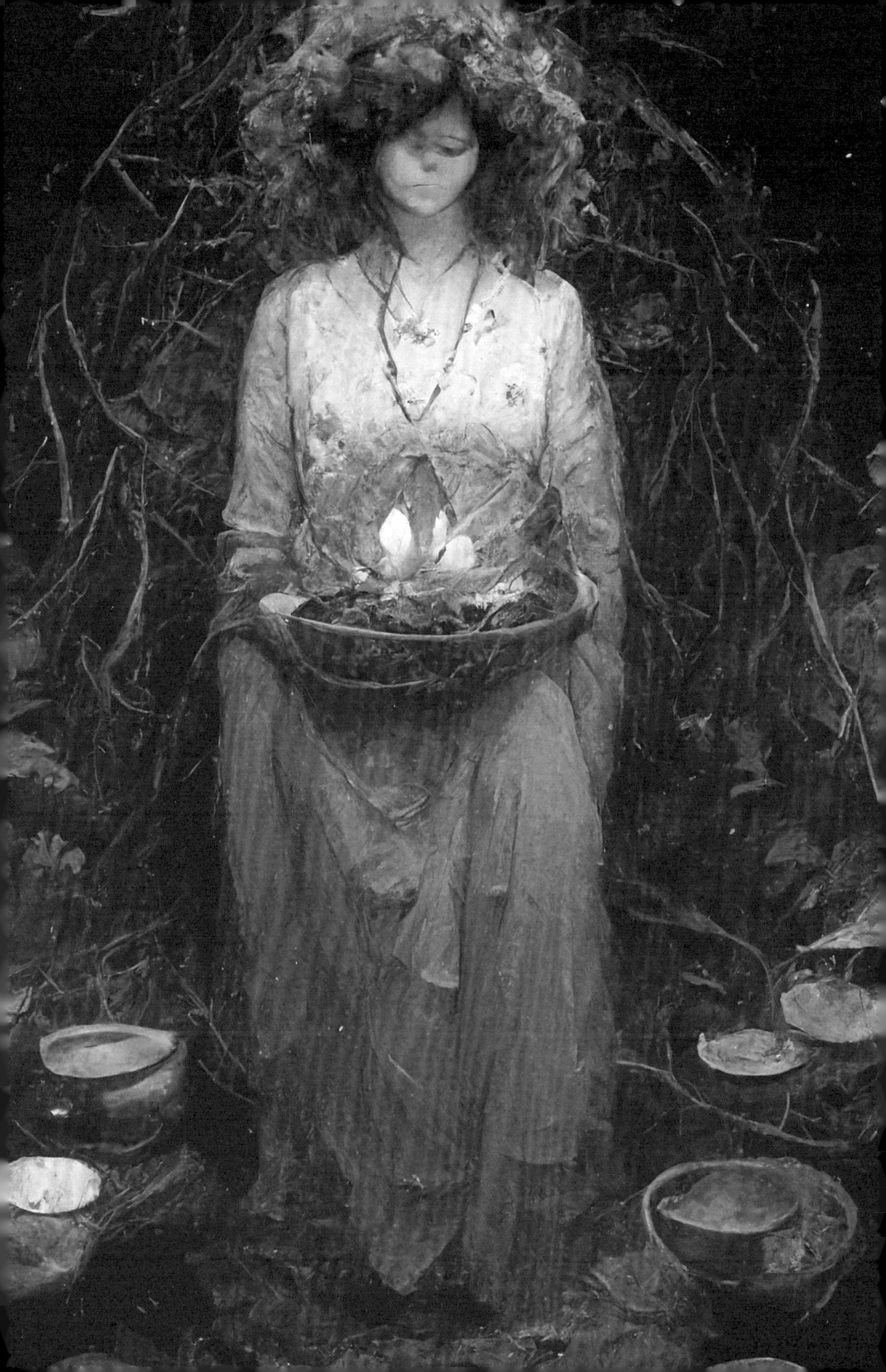

POVOS CELTAS CITADOS

Belgas	Gálatas
Boios	Galegos
Bretões	Gauleses
Caledônios	Helvécios
Cotini	Irlandeses
Escoceses	Lusitanos
Gaélicos	Pictos
Galaicos	

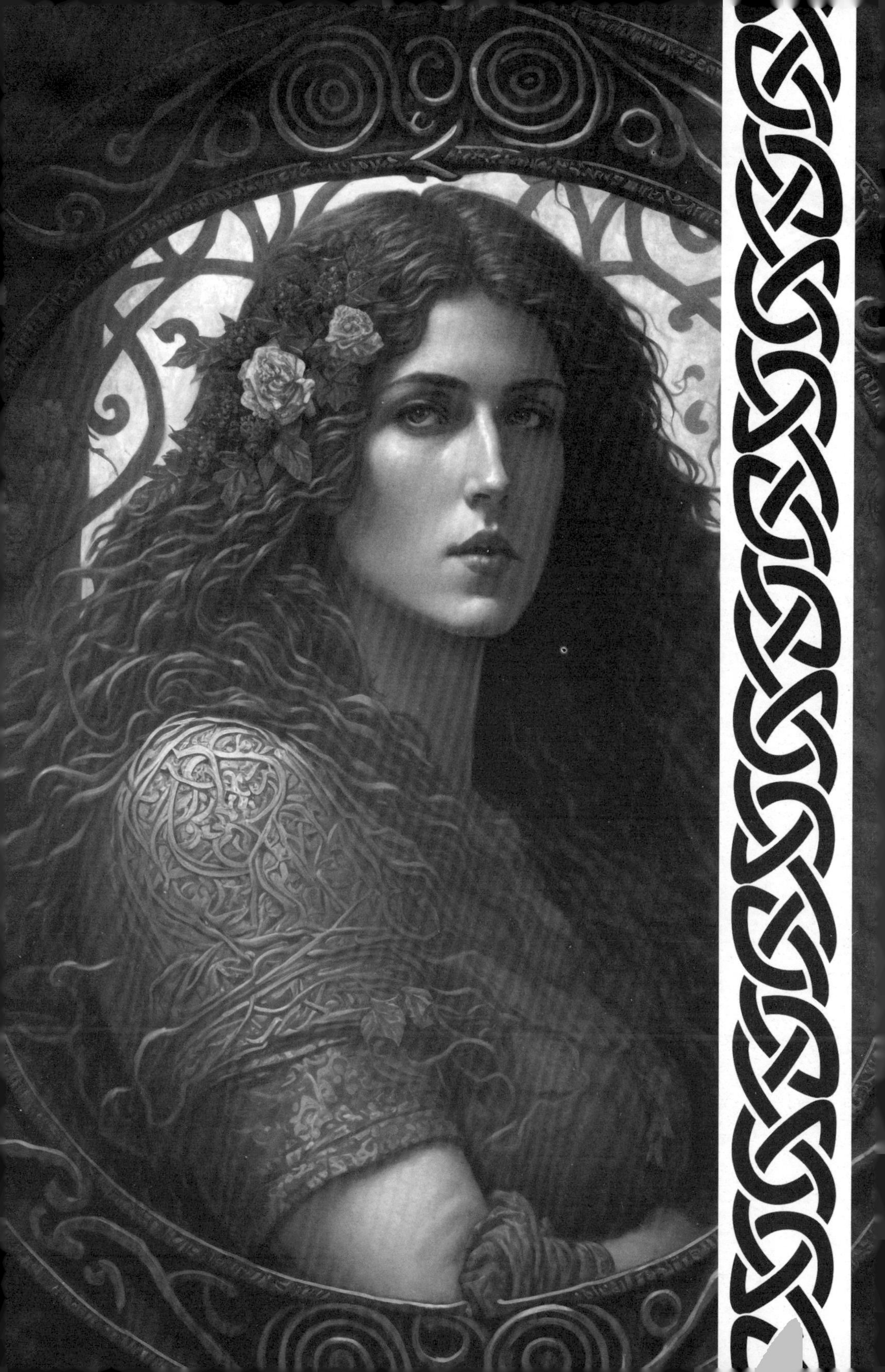

JOÃO EDUARDO PINTO BASTO LUPI

Professor aposentado e voluntário da Universidade Federal de Santa Catarina. Licenciado em Filosofia, bacharel em Teologia, licenciado em Pedagogia, especializado em Antropologia, pós-graduado em Ciências Políticas e Sociais, doutor em Filosofia, com pós-doutorado em Patrística. Lecionou em Moçambique, Espanha, Portugal e Brasil. Na Universidade Federal de Santa Maria e na Universidade Federal de Santa Catarina, lecionou Filosofia Medieval, Pensamento Oriental e Filosofia da Religião. Membro fundador do grupo de Estudos Celtas e Germânicos (Brathair).

BIBLIOGRAFIA

BLANC, Claudio (ed). *Guia da Mitologia Celta. Deuses e Deusas da Gália e Bretanha de A a Z*. Coleção Mundo em Foco: Celtas. São Paulo: Editora On Line, ano I n. I.

BELLINGHAM, David. *Introdução à Mitologia Céltica*. Trad. Pedro de Azevedo. Lisboa: Estampa, 2000.

DONNARD, Ana. *Celtas*. In: Em FUNARI, Pedro Paulo (org.). *As religiões que o mundo esqueceu*. São Paulo, Contexto, 2009. p. Funari, 2009, 116-129.

FUNARI, Pedro Paulo (org.). *As religiões que o mundo esqueceu*. São Paulo, Contexto, 2009. -

LÉOURIER, Christian. *Contos e Lendas da Mitologia Celta*. Trad. Monica Stahel. São Paulo: Martins Fontes, 2008.

SQUIRE, Charles. *Mitos e lendas celtas*. Trad. Gilson B. Soares. Rio de Janeiro: Nova Era, 2003.

VARANDAS, Angélica. *Mitos e lendas celtas*: Irlanda. Lisboa: Livros e Livros/ Centralivros, 2006.

_____. *Mitos e lendas celtas*. País de Gales. Lisboa: Livros e Livros/ Centralivros, 2007.

TEXTOS DE FICÇÃO

AGUIAR, João. *A voz dos deuses*. 19. ed. Porto: ASA, 1997.

_____. *A hora de Sertório*. 4. ed. Porto: ASA, 1997.

BRADLEY, Marion Zimmer. *As Brumas de Avalon*. 2. ed. São Paulo: Planeta Minotauro. 2018

LAWHEAD, Stephen. *A lança de ferro*. As cruzadas celtas. Trad. Manuel Cordeiro. Venda Nova: Bertrand, 1999.

RUTHERFURD, Edward. *Os Príncipes da Irlanda*. Trad. Domingos Demasi. Rio/São Paulo: Record, 2006.

FRAZÃO, Luiza. *A Deusa do Jardim das Hespérides*. Desvelando a Dimensão Encoberta do Sagrado Feminino em Portugal. 2. ed. Sintra: Zéfiro, 2021.

_____. *A Deusa celta de Portugal*. A anciã do inverno e a Rainha do verão. Sintra: Zéfiro, 2021.

GARDNER, Gerald B. *O Significado da Bruxaria*. Uma Introdução ao Universo da Magia. Trad. Lya Valéria Grizzo V. Serignolli. São Paulo, Madras, 2018.

JUBAINVILLE, H. D'Arbos de. *Os Druidas*. Os Deuses celtas com formas de animais. Trad. Julia Vidili. São Paulo: Madras, 2003.

ORR, Emma Restall. *Princípios do Druidismo*. Trad. Ana Luiza Barbieri. São Paulo: Hi Brasil, 2002.

QUINTINO, Cláudio Crow. *A Religião da Grande Deusa*. 2. ed. São Paulo: Gaia, 2002.

RUTHERFORD, Ward. *Os Druidas*. Trad. José Antonio Ceschin. São Paulo: Mercuryo, 1997.

SILVEIRA, Aline Dias da. *O Pacto das Fadas na Idade Média Ibérica*. São Paulo: Annablume, 2013.

LASCARIZ, Gilberto de. *Deuses e Rituais iniciáticos da Antiga Lusitânia*. 2. ed. Sintra: Zéfiro, 2015.

Mac CROSSAN, Tadhg. *A Verdade sobre os Druidas*. Trad. Augusta Porto Avalle. Rio de Janeiro: Mauad, 2004.

TEXTOS DE JOÃO LUPI (um dos organizadores deste box)

Os lusitanos e a construção do ideal nacionalista português. Brathair, ano 1, n. 1, 2001, 13-27.

A formação intelectual nos mosteiros irlandeses na Alta Idade Média. III Encontro Internacional de Estudos Medievais. Rio, UERJ, 1999. Publicado em: Maria do Amparo Tavares Maleval (org.). Atas do Encontro, Ágora da Ilha, 2001, 421-430.

Druidismo e cultura celta. Entrevista a Jhonny Langer. Notícias Asgardianas. 41, Nov. 2003.

Os Druidas. Brathair, 2004, v. 4, 70-79.

Entre Druidas e monges da Irlanda. 2004

As monjas irlandesas 2004 (não publicado)

O Espelho dos Reis de Sedúlio Scotus. 2009

A data da Páscoa e o fim das comunidades celtas. Congresso da Comissão B. de F. Medieval, Fortaleza, 2006

Astronomia medieval: dos druidas à escolástica. Brathair, 1 (2007) 11-18.

A formação do reino celta da Escócia. Simpósio de Estudos Celtas e Germânicos, São João del Rei, 2008, Atas: 37-42.

Contexto cultural da primeira formação de João Duns Escoto. Congresso de Filosofia Medieval, Buenos Aires 2008. Publicado em Luís A. De Boni (org.): João Duns Scotus (1308-2008). Homenagem de escotistas lusófonos. Porto Alegre, EST, 2008, 9-14.

Os monges irlandeses dos séculos VI a IX: arte, cultura religiosa e ciência. Curso ministrado em São João del Rei, Simpósio de Estudos CG, 2008, não escrito, não publicado.

Os gálatas de São Paulo eram celtas? Em LANGER & CAMPOS (org.). A religiosidade dos celtas e germanos. São Luís, UFMA, 2009, 9-23.

O espelho dos reis de Sedúlio Escoto. Adriana Zierer & Carlos de A. Ximendes (orgs): História Antiga e Medieval, Cultura e ensino. São Luís, UEMA, 2009, 175-186.

Druidas, Cavaleiros e Deusas (org.). Estudos medievais. Florianópolis, Insular, 2010.

Monaquismo. Coordenação de dossiê. Brathair, v. 2, 2011, 1-2.

Alexandre nos Balcãs e os Celtas. VI Simpósio Internacional de Estudos Celtas e Germânicos, 26/28 outubro 2016, São Luís, UFMA.

Só temos medo de que o céu caia sobre as nossas cabeças. In: BACCEGA, Marcus (org.). *Combates e concórdias.* Temporalidades do conflito e da conciliação na tradição medieval. Curitiba, CRV, 2018, 131-138.

OUTRAS FONTES E BIBLIOGRAFIA

TEXTOS ORIGINAIS ANTIGOS

AMMIANUS MARCELLINUS. The Later Roman Empire (*Res Gestae*). Trad. Walter Hamilton, notas de Andrew Wallace-Hadrill. Londres, Penguin, 1986.

CAIO JULII CAESARIS. Commentariorum de Bello Gallico. Bilingue Tradução francesa de E. Sommer. Paris, Hachette, 1881.

LEABHAR Ghabhala/ Libro de las invasiones. Edição de Ramón Sainero Sanchez. Madrid, Akala, 2010 (1988).

TÁCITO. A Germânia. De Origine et situ germanorum. Tradução e notas de Maria Isabel Rebelo Gonçalves. Lisboa, Veja, 2011.

OBRAS DE CONSULTA GERAL

BENTLY, Peter (ed). *The Hutchinson Dictionary of World Myth*. Oxford: Helicon, 1995.

CAPARELI, David (comp.). *Enciclopédia Esotérica*. São Paulo: Madras, 2006.

GARDINER, Julit & WENBORN, Neil (eds). *Companion to British History*: The History Today. Londres: Collins & Brown, 1995.

GRIMAL, Pierre. *Dictionary of Classical Mythology*. Trad. A. R. Maxwell-Hyslop. Londres: Penguin, 1990 (1951).

GUÉNON, René. *Os símbolos da Ciência Sagrada*. Trad. J. Constantino Kairalla Riemma. São Paulo: Pensamento, 1993 (1962).

HAMILTON, Edith. *Mythology*. Little B. C. Boston, 1942.

JORDAN, Michael. *The Encyclopedia of Gods*. Londres: Kyle Cathie, 1995 (1992).

LANGER, Johnni (org.). *Dicionário de História das Religiões na Antiguidade e Medievo*. Petrópolis: Vozes, 2020.

LEEMING, David. *The Oxford Companion to World Mythology*. Oxford: Oxford University Press, 2005.

MAC MATHÚNA, Séamus & Ó CORRÁIN, Ailbhe. *Irish Dictionary*. English-Irish. Irish-English. Béarla-Gaeilge. Gaeilge-Béarla. Glasgow: Harper Collins, 1995.

VERNON, Mark (ed). *Chambers Dictionary of Beliefs and Religions*. Edimburgo: Chambers, 2009 (1992).

TEXTOS ACADÊMICOS

BALBOA SALGADO, Antonio. *A Galicia Celta*. 2. ed. Santiago de Compostela: Lóstrego, 2007.

BEZERRA, Karina Oliveira. *Wicca no Brasil*: Magia, Adesão e permanência. São Paulo: Fonte Ed., 2017.

BOCKSTAEL, Dominique. Ambiorix. *La Résistance des Belges face aux Romains racontée aux Enfants*. Waterloo: Jourdan Le Clercq, 2005.

CAHILL, Thomas. *How the Irish Saved Civilization*. Nova Iorque: Nan A. Tabese, 1995.

CHADWICK, Nora. *The Celts*. Londres: The Folio, 2001.

CHILDE, Gordon. *The Aryans*. Nova Iorque: Barnes & Noble, 1993

CUNLIFFE, Barry (ed). *Prehistoric Europe:. An Illustrated History*. Oxford: Oxford University Press, 1998.

_____. *A Race Apart.Insularity and Connectivity*. Proceeedings of the Prehistoric Society, 75, 2009, p. 55-64.

_____. *In Search of the Celts*. In: CHADWICK, Nora. *The Celts*. Londres: The Folio, 2001.

_____. *On the Ocean*: The Mediterranean and the Atlantic from Prehistory to Ad 1500. Oxford University Press, 2017.

_____. *The Druids*. A Very Short Introduction. Oxford: Oxford Univeristy Press, 2010. In: CHADWICK, Nora. *The Celts*. Londres: The Folio, 2001. p. 1-29.

DAVIES, John. *A History of Wales*. Londres: Penguin, 1993.

DONALDSON, Gordon. *Scottish Historical Documents*. Edimburgo: Scottish Academic Press, 1974.

DUANE, O. B. *Celtic Art*. Nova Iorque: Barnes & Noble, 1996.

ELUÈRE, Christiane. *La Europa de los Celtas*. Trad. Juan Vivanco Gefaell. Barcelona, BSA, 1999 (Gallimard 1992).

FEDERICI, Silvia. *Calibã e a Bruxa*. Trad Sycorax. São Paulo: Elefante, 2017.

FOSTER, R. F. (ed). *The Oxford History of Ireland*. Oxford: Oxford University Press, 1992.

GARDNER, Gerald B. *O significado da bruxaria*: uma introdução ao universo da magia. Trad. Lya Serignolli. São Paulo: Madras, 2018.

GUYONVARC'H, Christian-J.; LE ROUX, Françoise. *La civilisation celtique*. Paris: Payot, 1995.

GREEN, Miranda. *The Gods of the Celts*. Godalming: Bramley Books, 1986.

HAYWOOD, John. *Os Celtas da Idade do Bronze aos nossos dias*. Trad. Susana Costa Freitas. Lisboa: Ed. 70, 2018.

HERM, Gerhard. *The Celts*. Trad. Weidenfeld. Nova Iorque: St. Martin's Press, 1977.

KEMGAN, Michel. *Contes et Légendes Celtiques*. Paris: Châteaux & Patrimoine, sd.

KENDRICK, T. D. *The Druids*. Guernesey, 1996 (1827).

LAING, Lloyd & Jennifer. *Celtic Britain and Ireland A.D. 200-800*. The Myth of the Dark Ages. Nova Iorque, Barnes & Noble, 1997 (1990).

LAING, Lloyd & Jenny. *The Picts and the Scots*. Phoenix Mill: Alan Sutton, 1995.

LEHANE, Brendan. *Early Celtic Christianity*. Nova Iorque: Barnes & Noble, 1993 (1968).

LOBO, Fátima (coord). *Actas.II Congresso Transfronteiriço. Cultura Celta*. Ponte da Barca, Município de Ponte da Barca, 2009.

Mac CANA, Proinsias. *Celtic Mythology*. Nova Iorque: Barnes & Noble, 1996 (1983).

Mac QUARRIE, Alan. *Medieval Scotland*. Kingship and Nation. Phoenix Mill: Sutton, 2004.

MANCO, Jean. *Blood of the Celts*. The New Ancestral Story. Londres: Thames & Hudson,2015.

MARKALE, Jean. *Le Christianisme Celtique et ses survivances populares*. Paris: Imago, 1983.

_____. *L'épopée celtique d'Irlande*. Paris: Payot, 1997 (1971).

MATTHEWS, Caitlín & John. *Celtic Myths and Legends*. Londres: The Folio, 2006.

NORTON-TAYLOR, Duncan. *The Celts*. Time Life Books, 1980.

OPPENHEIMER, S. *The Origins of the British*. Londres: Robinson Publishing, 2006.

PENA GRAÑA, Andrés. Santo André de Teixido. *O camiño máxico dos celtas*. Coruña: Equona, 2006.

PENNICK, Nigel. *The Celtic Saints*. Nova Iorque: Sterling, 1997.

RAYNER, R. M. *A Short History of Britain*. Londres: Longmans, 1969 (1939).

RISCO, Vicente. *Manual de História de Galícia*. 2. ed. Vigo: Galaxia, 1971, (1952).

SAINERO, Ramón. *La huella celta em España e Irlanda*. 2. ed. Madrid: Akal, 1998, (1987).

SCHERMAN, Katharine. *The Flowering of Ireland. Saints, Scholars and Kings*. Nova Iorque: Barnes & Noble, 1996 (1981).

SOMERSET FRY, Peter & Fiona. *The History of Scotland*. Nova Iorque: Barnes & Noble, 1982.

THOM, Catherine. *Early Irish Monasticism*. An Understanding of its cultural Roots. Londres/Nova Iorque: T & T Clark, 2007 (1988).

VARAGNAC, A. & DEROLEZ, R. *Les celts et les germains*. Religions du monde. Paris: Bloud & Gay, 1965.

VARAGNAC, André (dir), *O Homem antes da escrita*. Trad. Ernesto Veiga de Oliveira. Lisboa/Rio: Cosmos, 1963.

COMPLEMENTOS E DIVERSOS

ABRAMS, M. H. (gen. ed.) *The Norton Anthology of English Literature*. v. 2. 3.ed. Nova Iorque: Norton, 1974.

BLOCKSTAEL, Dominique. Ambiorix. *La Résistance des Belges face aux Romains racontée aux enfants*. Bruxelas: Jourdain le Clerq, 2005.

CHALUPECKÝ, Ivan et al.. *Spisský Hrad*. Kosice: Petit Press, 2003.

DAICHES, David. *The Twentieth Century*. In: Abrams. William Butler Yeats, 1904-1958.

FOHRER, G. *História da Religião de Israel*. São Paulo: Paulinas, 1982.

BRATHAIR

SANTOS, Dominique Vieira Coelho dos. *Quem foi São Patrício*. Uma reflexão sobre algumas representações acerca deste Santo. Brathair, 5.1.(2005) 128-140.

SANTOS, Dominique Vieira Coelho dos. *Os Livros das Cartas do Bispo São Patrício*. Brathair, 7.1(2007) 107-136.